D0243954

Le Récit de Gilgamesh

L'homme qui partit en quête de la vie sans fin

Traduction remaniée et abrégée
par Stéphane Labbe

Classiques abrégés
l'école des loisirs
11, rue de Sèvres, Paris 6e

Loi n° 49.956 du 16 juillet 1949 sur les publications
destinées à la jeunesse : mars 2010
Dépôt légal : mars 2014
Imprimé en France par CPI Bussière
à Saint-Amand-Montrond
N° d'édit. : 4. N° d'impr. : 2008334.

ISBN : 978-2-211-09603-4

TABLETTE I[1]

1. La légende de Gilgamesh a été retrouvée par les archéologues sur un ensemble de onze tablettes d'argile recouvertes de signes cunéiformes gravés, dans les ruines du palais du roi assyrien Assurbanipal, à Ninive. Ces tablettes sont plus ou moins bien conservées : si certaines ne contiennent pratiquement aucune lacune (la onzième), d'autres sont très détériorées (la deuxième et la troisième, par exemple) et donc incomplètes. L'inégale conservation des tablettes explique les différences de longueur entre les chapitres de cet ouvrage, qui s'est efforcé de respecter la composition du texte antique. (*N.d.T.*)

Il est celui qui a tout vu, tout connu, celui à qui les mystères de l'univers ont été révélés. Grâce à lui, l'humanité a su ce qu'était le monde avant le Déluge. Au terme de ses voyages et malgré la fatigue, il a gravé dans la pierre le récit de ses aventures.

Il a fait bâtir les murs d'Uruk, édifier l'Éanna[1]. C'est sous ce vaste temple, dans un coffret de cuivre confié au secret des pierres, que sont consignés sur une tablette d'argile les exploits de celui qui dut affronter tant de périls, le prestigieux monarque d'Uruk : Gilgamesh.

Né de Lugalbanda*[2], le héros devenu dieu, et de Ninsuna*, la déesse protectrice des troupeaux, dès sa naissance Gilgamesh reçut de la déesse Mah* la prestance, la force et l'endurance. On dit qu'Anu* lui-même avait fortifié sa constitution. Sa vigueur semblait sans limites, car sa nature était humaine pour un tiers et divine pour les deux autres.

Encore jeune prince, il se met à hanter les rues de la cité, sûr de lui et de sa force. Arrogant,

1. Temple du dieu Anu et de la déesse Ishtar. (*N.d.T.*)

2. Pour les noms suivis d'un astérisque, se reporter à l'Index, p. 131. (*N.d.E.*)

toujours prompt à brandir les armes, il opprime son peuple. Il défie et défait les plus vaillants des fils d'Uruk, enlève, pour ses plaisirs, les filles de ses sujets. Peu importe qu'elles soient fiancées, ou filles de valeureux guerriers, Gilgamesh n'écoute que les caprices de son désir. Les jeunes soldats qui l'escortent eux-mêmes craignent sa fureur, aussi redoutable que celle du taureau déchaîné.

Une plainte s'élève alors des murs de la cité, et les habitants excédés s'adressent aux dieux :

– Gilgamesh prive les pères de leurs fils, les mères de leurs filles ; de jour comme de nuit sa violence outrage nos foyers ! Que nos lamentations emplissent la terre et les airs !

Puis, se tournant vers la déesse Aruru*, ils l'implorent en ces termes :

– Grande déesse, toi qui es à l'origine de l'homme, crée un être à l'image de Gilgamesh, afin qu'il le combatte et qu'ainsi notre cité retrouve la paix.

Les dieux ne peuvent rester insensibles à tant de détresse. Aruru, s'accordant avec le grand Éa*, se saisit d'un bloc d'argile qu'elle dépose dans la steppe. Ainsi conçoit-elle Enkidu, le valeureux.

Recouvert de poils, pourvu de la longue chevelure des femmes, Enkidu n'a ni patrie ni compagnon. Revêtu de haillons, il mange des herbes sauvages et boit en compagnie des gazelles.

Un jour qu'il se désaltère, entouré des animaux de sa harde, un chasseur l'aperçoit.

L'homme en est saisi. Il revient cependant et revoit Enkidu le lendemain et le surlendemain encore. Alors l'inquiétude envahit son cœur, et il éprouve le besoin d'en parler à son père.

– Mon père, dit-il, un homme a surgi du désert, sa puissance est telle qu'on la dirait venue du ciel, il va et vient avec les bêtes de sa harde, hante les mares. Il a bouché les trappes que j'avais creusées, détruit les filets que j'avais posés. Il détourne de moi le gibier, je ne peux plus chasser. Je suis incapable de l'approcher tant il m'épouvante.

– Mon fils, répond le père, rends-toi à Uruk. Là vit Gilgamesh, nul n'est plus puissant que lui. La force de son bras lui vient du ciel. Va le voir, raconte-lui ce que tu as vu, décris-lui cet homme sauvage. Il te donnera une courtisane pleine d'ardeur que tu conduiras à l'homme du désert. Elle ôtera ses vêtements, lui dévoilera ses charmes et s'offrira à lui. En voyant leurs ébats, sa harde se détournera de lui.

Le chasseur suit les conseils de son père et dirige ses pas vers la grande cité d'Uruk. Il est conduit auprès du roi, à qui il s'adresse en ces termes :

– Il y a, en ce pays, un homme qui a surgi du désert, sa puissance est telle qu'on la dirait venue du ciel. Il ne cesse d'aller et venir dans les plaines, à la tête d'une harde d'animaux, il broute les prairies, boit dans les mares. Il a détruit mes pièges, arraché mes filets et m'empêche de chasser. Je ne peux l'approcher tant il m'épouvante.

– Va, répond Gilgamesh, et emmène avec toi une courtisane. Quand l'homme qui t'effraie conduira sa harde au point d'eau, elle ôtera ses vêtements et se donnera à lui. Il ne pourra lui résister, et sa harde, voyant leurs ébats, se détournera de lui.

Le chasseur quitte Uruk, emmenant avec lui la fille de joie. Il la conduit au point d'eau que l'homme du désert a coutume de fréquenter. Là, il leur faut attendre : deux jours s'écoulent sans qu'Enkidu paraisse. Au matin du troisième jour, la harde se présente. Enkidu, l'homme du désert, broute et s'abreuve en compagnie des gazelles. La fille de joie l'aperçoit alors pour la première fois et peut constater sa redoutable sauvagerie.

– C'est lui ! s'exclame le chasseur, vas-y ! Offre-lui tes charmes sans craindre de l'épuiser. Ainsi, les siens se détourneront de lui.

La femme s'offre à Enkidu. Ainsi l'homme du désert goûte-t-il les délices de l'amour auprès de la courtisane. Et leurs ébats durent six jours et sept nuits.

Ivre des plaisirs que lui a donnés la femme, Enkidu veut regagner son troupeau, mais les gazelles fuient à son approche et toute bête sauvage s'écarte de lui. Vidé de sa force, il voudrait les suivre à la course, mais ses jambes refusent de lui obéir. Cependant, son intelligence s'est développée, aussi revient-il aux pieds de la fille dont il comprend désormais le langage.

Elle lui dit alors :

– Enkidu, comme tu es beau ! Tu as la stature d'un dieu. Pourquoi traîner ainsi avec les bêtes ? Viens avec moi, je te montrerai la cité d'Uruk, le temple saint d'Anu et d'Ishtar*. Tu y rencontreras Gilgamesh, son roi, dont la vigueur, semblable à celle des buffles, l'emporte sur celle de tous les humains de cette terre.

Enkidu accepte. Sans doute, pressent-il l'amitié à venir.

– Je te suis, femme. Conduis-moi au temple sacré d'Anu et d'Ishtar, présente-moi au divin Gilgamesh dont la force, comparable à celle des buffles, l'emporte sur celle de tous les hommes. Je veux lui lancer un défi. La cité d'Uruk sera témoin de ma victoire.

– Alors suis-moi, Enkidu ! Tu découvriras Uruk, la ville de tous les plaisirs. Chaque jour y est une fête, la musique ne cesse de retentir entre ses murs. Ô, Enkidu ! toi qui ignores tout de la vie, tu vas rencontrer Gilgamesh. Vigoureux, séduisant, il est insatiable et se révèle infatigable, ne laissant place au sommeil, ni le jour ni la nuit. Aimé des dieux, il ne peut être vaincu, renonce à le défier. Il a rêvé de toi, je le sais. Un matin, il s'est levé, s'est rendu auprès de sa mère et lui a raconté son rêve :

«– Ma mère, a-t-il dit, j'ai fait cette nuit un rêve singulier : je me tenais sous la voûte céleste constellée d'étoiles quand une pierre est tombée du ciel. J'ai cherché à la soulever, mais elle était trop lourde ; j'ai voulu la déplacer, mais elle n'a pas bougé. Tout le peuple d'Uruk regardait : il s'est mis à l'adorer, moi-même je me suis mis à l'aimer, je l'ai dorlotée comme on cajole sa bien-aimée. Alors je l'ai prise dans mes bras pour la déposer à tes pieds, et tu l'as traitée comme tu me traites, moi, ton fils.

« Ninsuna, la maîtresse des buffles, est réputée pour son savoir et sa sagesse. Elle a dit à son fils :

«– Les étoiles sont les hommes de ta garde, quant à cette pierre tombée du ciel que tu ne parviens ni à soulever ni à déplacer, que tu finis par déposer à mes pieds et que tu traites en épouse, c'est un puissant compagnon qui, en toutes circonstances, t'apportera son aide. Que tu l'aies traité en épouse est un excellent présage : cela signifie qu'il saura t'aider à tout moment et dans toutes les difficultés.

«– Ma mère, a poursuivi Gilgamesh, j'ai fait un autre rêve. À un carrefour, la population d'Uruk s'était rassemblée autour d'une hache, tous se pressaient pour la contempler et moi, fendant la foule, j'ai pris la hache dans mes bras, je l'ai dorlotée comme une femme, je te l'ai apportée, et tu l'as traitée comme tu me traites, moi, ton fils.

«La mère de Gilgamesh, dont le savoir et la sagesse sont réputés dans tout le pays, a dit alors à son fils :

«– La hache que tu prends dans tes bras et que tu cajoles est un camarade, un homme puissant qui sera ton ami. Il est fort et plein de vigueur, son bras est armé par le ciel, et tu pourras compter sur lui en toutes circonstances.

«– Qu'il en soit ainsi, a répondu Gilgamesh, que ce compagnon arrive au plus vite. Il sera mon ami et mon confident.»

Tel est le récit que la fille de joie fait à Enkidu.

TABLETTE II

La fille partage ses vêtements avec Enkidu, puis le prend par la main, comme un enfant, et le conduit à une cabane de bergers. Ces derniers sont surpris par l'apparence d'Enkidu.

– Regardez, ce colosse! disent-ils. Il ressemble à Gilgamesh! Il a son maintien, sa démarche et sa puissance.

– Qui est-ce? Voyez ses muscles, on le croirait taillé dans le roc. Il doit être aussi fort que notre roi!

– C'est Enkidu, l'homme du désert.

Les bergers proposent aux voyageurs du pain et de la bière, mais Enkidu considère ces aliments avec méfiance. Lui qui a toujours vécu auprès des animaux ignore comment vivent les hommes. Sa compagne l'encourage:

– Mange, Enkidu! Le pain est nécessaire à la vie. Bois, Enkidu! La bière est la boisson de nos ancêtres!

Enkidu mange et boit. Ensuite, la courtisane lui propose de prendre un bain, elle lui frictionne le corps et l'enduit d'huiles aromatiques. On lui procure alors de nouveaux vêtements et on lui fournit une arme.

Il peut ainsi se rendre utile à ses nouveaux amis, les bergers, dispersant les hordes de loups, écartant les lions qui cherchent à s'en prendre aux troupeaux.

La fille de joie doit intervenir pour lui rappeler sa décision :

– Enkidu, ton destin n'est pas d'être berger. Uruk t'attend, suis-moi.

En chemin ils rencontrent un jeune homme. La courtisane n'hésite pas à l'aborder :

– Jeune homme, où vas-tu si vite ?

– Je suis invité à un mariage, les tables sont dressées. Gilgamesh, notre souverain, doit se rendre à la cérémonie et, s'il trouve l'épousée à son goût, il la possédera avant même son mari.

Enkidu, entendant ces paroles, pâlit mortellement. Et, en son cœur, il décide de mettre fin à cette coutume cruelle.

– Dépêchons-nous, dit-il à la fille.

Ils font dans la cité une entrée remarquée :

– Comme il ressemble à Gilgamesh ! entend-on dans la foule. Il a la même stature, la même prestance.

Dans la grand-rue d'Uruk, les convives de la noce sont rassemblés et font cercle autour de la maison de l'épousée où l'on a préparé, comme s'il était destiné à la déesse Ishtar elle-même, le lit nuptial. Gilgamesh, portant la ceinture du marié, s'apprête à franchir le seuil de la maison quand Enkidu s'interpose.

Les deux colosses s'empoignent, et la demeure en est ébranlée jusqu'en ses fondements. Tels deux taureaux furieux, ils s'arc-boutent et font voler en éclats la porte d'entrée. Mais Gilgamesh finit par plier le genou et, d'un coup, sa fureur tombe, il se dégage de l'étreinte de son vaillant adversaire.

Enkidu lui dit alors :

– Tu es bien le fils de Ninsuna, la déesse protectrice des buffles. Les dieux t'ont destiné à devenir le souverain d'une grande cité. Enlil*, en sa sagesse, t'a choisi pour gouverner les peuples.

Gilgamesh comprend ainsi qu'il a en face de lui ce compagnon dont la venue lui a été révélée dans l'intimité de ses rêves. Il ouvre les bras au géant qui l'a défié et lui offre son cœur. Enkidu, touché à son tour, scelle le pacte d'amitié qui doit faire de lui le plus fidèle des compagnons du monarque d'Uruk. Gilgamesh le conduit alors auprès de sa mère.

– Mère, voici Enkidu : malgré les reproches qu'il avait à me faire, il est désormais mon frère.

– Des reproches ? demande Ninsuna.

– Enkidu n'approuvait pas ma conduite : alors que j'allais m'emparer d'une jeune épousée, il s'est interposé et m'a fait plier le genou. Regarde-le, ma mère : il est le plus fort des adversaires qu'il m'ait été donné de rencontrer. Il a la solidité d'un bloc de pierre et la bienveillance d'un bouclier, il est aussi sûr que les remparts de notre cité. S'il a l'air sauvage, si ses cheveux ont poussé en toute liberté, c'est que personne ne l'a élevé : il est né du désert, il a grandi au milieu des animaux.

Enkidu ne bouge pas et semble songeur, mais lorsque Gilgamesh a fini de prononcer ces paroles, il est parcouru d'un frisson. Des larmes lui montent aux yeux, et sa force paraît l'abandonner. Il tombe dans les bras de Gilgamesh. Leurs mains se joignent et, comme des frères, ils s'embrassent.

Mais Enkidu n'est pas né pour la ville et, bien vite, une étrange langueur s'empare de lui. Gilgamesh fait venir les plus belles femmes d'Uruk, organise des fêtes somptueuses. L'homme du désert, cependant, ne parvient pas à retrouver sa vigueur. On le voit parcourir les rues de la cité, comme égaré, l'âme en peine. Seule l'amitié qui le lie au puissant Gilgamesh le retient. Ce dernier, voyant sa détresse, se saisit d'un chevreau blanc et va consulter Shamash* en son temple.

– Puissant Shamash, prie-t-il, toi, le plus vénéré des dieux, conseille-moi ! Dans ma cité d'Uruk comme partout, les gens meurent, laissant derrière eux des proches en larmes. Il en sera de même pour moi, il en sera de même pour Enkidu. Mais Enkidu et moi sommes encore pleins de vigueur et nous devons nous faire un nom. Ô puissant Shamash, inspire-moi ! Indique-moi comment faire passer le nom de Gilgamesh de génération en génération.

Gilgamesh se met à pleurer. Et le dieu éprouve de la compassion pour ses larmes.

Lorsqu'il retrouve son ami, il lui dit :

– Si l'homme vient au monde, ce n'est pas pour rester sans rien faire. Partons pour la Forêt des cèdres. C'est un vaste domaine que les hommes ne peuvent arpenter car Humbaba* le terrible en est le gardien. Ses cris sèment l'épouvante, sa bouche déchaîne le feu et son haleine souffle un poison mortel. Quiconque pénètre dans la forêt sera pétrifié de terreur car l'oreille d'Humbaba saisit le moindre bruit à des centaines de kilomètres à la ronde.

– Il nous est donc impossible de le combattre, s'inquiète Enkidu.

Gilgamesh répond :

– Je veux, malgré tout, franchir les montagnes et pénétrer au cœur de la forêt. Je veux y abattre des arbres.

– J'ai longtemps vagabondé avec ma harde sur les flancs des montagnes et je sais que ce sont le dieu Wer*, qui protège la forêt, et le dieu Adad* lui-même qui ont choisi Humbaba pour repousser les intrus, et qu'Enlil l'a doté des sept fulgurances, ces rayons mortels avec lesquels il terrasse ses victimes.

– Mon ami, qu'est devenue ta témérité ? Je te précéderai, tu n'auras qu'à me dire : « Avance sans crainte. » Et si, par malheur, la mort me frappe, j'aurai assuré ma renommée pour les siècles à venir.

Les hommes diront de moi : « Il a défié Humbaba le terrible, son courage était sans limites. » Tu dois comprendre cela, toi qui es né au désert, toi qui as dû affronter les lions à mains nues. Pourquoi donc parles-tu ainsi, avec tant de faiblesse ? Je veux, moi, me faire un nom et abattre des cèdres.

– Soit, répond Enkidu, si tu vas dans la Forêt des cèdres, je t'y accompagnerai. Je veillerai sur toi comme tu veilleras sur moi, mais soyons surtout attentifs à ne pas fâcher les dieux.

Gilgamesh commande alors aux artisans d'Uruk de leur forger des armes indestructibles.

Ceux-ci se concertent et disent :

– Nous te forgerons les haches, les épées et les baudriers les plus lourds.

Gilgamesh harangue alors la foule d'Uruk :

– Écoutez-moi, jeunes gens. Je m'en vais suivre des chemins hasardeux, je me sens assez fort pour combattre le terrible Humbaba. Je veux voir celui dont tout le monde parle et qui fait trembler les nations. Je veux le terrasser et montrer au monde la puissance des fils d'Uruk. Souhaitez-moi bonne chance. Quand je reviendrai, je passerai par la grande porte et célébrerai avec vous l'Akitu[1].

1. L'une des plus grandes fêtes du calendrier mésopotamien. Elle apparaît initialement dans la cité d'Ur : elle est alors dédiée au dieu Sin, et on la célèbre deux fois par an, pendant les équinoxes. Elle évoluera ensuite, dans les différents royaumes, pour, généralement, devenir la fête du dieu protecteur de la cité. (*N.d.T.*)

À ce discours, la jeunesse d'Uruk s'enflamme : partout, on loue le courage du seigneur d'Uruk.

Enkidu, cependant, s'adresse aux anciens :

– Les jeunes gens d'Uruk encouragent Gilgamesh dans sa folie. Dites-lui de ne pas s'aventurer seul dans la forêt, rappelez-lui qu'il n'est qu'un homme et que le gardien des forêts est sans pitié.

TABLETTE III

Alors, le conseil des anciens convoque Gilgamesh et son ami Enkidu. Solennellement, ses membres prennent la parole :

– Gilgamesh, tu es jeune et fougueux, mais as-tu mesuré les dangers de ton entreprise ? Sais-tu qui est Humbaba ? Ses cris sèment l'épouvante, sa bouche déverse le feu et son haleine la mort. Il entend le moindre bruit à des centaines de kilomètres à la ronde. Sa face monstrueuse saisit d'effroi qui ose l'approcher. Les dieux eux-mêmes hésiteraient à le défier. C'est pour protéger les cèdres qu'Enlil l'a dépêché. Ne surestime pas tes forces, Gilgamesh ! Que tes yeux soient vigilants et tes coups efficaces ! Enkidu connaît la région, qu'il marche le premier. Il te protégera, et tu veilleras sur lui. Aussi, Enkidu, toi qui es maître en l'art du combat, nous te confions notre roi, Gilgamesh.

Ayant entendu les anciens, Gilgamesh dit à Enkidu :

– Viens, mon ami, allons trouver ma mère en son palais, la très sage Ninsuna. Elle saura nous guider.

Tenant Enkidu par la main, il le conduit à Ninsuna, la grande souveraine dont le savoir, l'intelligence et la sagesse font l'admiration de tous.

Lorsqu'ils ont atteint le cœur de son sublime palais, Gilgamesh dit à la reine :

– Je suis désormais assez fort pour effectuer le périlleux voyage qui conduit à la grande Forêt des cèdres et pour y affronter Humbaba le terrible. Je libérerai la terre de son oppression. Je le ferai périr et j'offrirai, en sacrifice, sa dépouille à Shamash.

– Tu es jeune, mon fils, et bien présomptueux. Attendez-moi !

La reine se retire alors dans ses appartements pour se laver et se purifier. Elle revêt une robe seyante et se pare d'un collier, ainsi que d'un magnifique diadème. Elle prend ensuite l'escalier qui conduit à la terrasse et là, faisant face à Shamash, elle dépose sur le sol un encensoir et lui fait une offrande.

– Shamash, prie-t-elle, tu m'as donné Gilgamesh pour enfant, mais pourquoi l'avoir doté d'un tempérament aussi fougueux ? À présent, voilà que tu l'incites à effectuer un périlleux voyage et à combattre le terrible Humbaba, cette créature maléfique que tu détestes. Alors n'oublie pas mon fils ! Et lorsque tu reposeras auprès d'Aya, ta divine épouse, daigne confier sa protection aux étoiles gardiennes de la nuit.

Ainsi, plusieurs fois, Ninsuna pénètre son cœur de la même prière, puis elle éteint l'encensoir et retourne auprès de son fils et du vaillant Enkidu.

S'adressant à ce dernier, elle dit :

– Vaillant Enkidu, tu n'es pas mon enfant, mais je te conjure, au nom des proches de mon fils, au nom des prêtres et prêtresses d'Uruk, au nom de tous les dieux, de veiller sur lui et de faire en sorte qu'il revienne sain et sauf des périls que vous allez affronter.

– Sois tranquille, sage Ninsuna. Que notre voyage dure des mois ou des années, je demeurerai aux côtés de ton fils. Là où son désir le conduira, je l'accompagnerai et veillerai sur lui. Et jusqu'à son retour de la Forêt des cèdres, jusqu'à ce qu'il ait franchi la grande porte d'Uruk, je le protégerai.

Après avoir reçu la bénédiction de sa mère, Gilgamesh va, à son tour, prier le dieu Shamash :

– Puissant Shamash, que ta volonté s'accomplisse ! Je quitte Uruk et je t'implore de me garder vivant. Ramène-moi aux portes de la cité, accorde-moi ta protection et, à mon retour, je ferai bâtir en ton honneur le plus somptueux des sanctuaires.

Alors qu'il s'apprête à rejoindre Enkidu, le souverain d'Uruk aperçoit un cadavre emporté par le fleuve.

« Ô Shamash, dit-il en son cœur, tu souhaites que, comme les hommes, les arbres descendent le fleuve. J'accomplirai ta volonté. »

On munit alors les héros de leurs équipements : les haches massives, les puissantes épées et les lourds baudriers confectionnés par les artisans d'Uruk ; ils emportent aussi de robustes arcs et de grands carquois. Ainsi pourvus, ils se mettent en route. La foule se presse autour d'eux et les encourage :

– Va, Gilgamesh, lui dit-on, que ton dieu soit avec toi et qu'il te ramène sain et sauf entre nos murs.

TABLETTE IV

Enkidu et Gilgamesh avalent les distances. Après deux cents kilomètres, ils font halte pour manger. Encore trois cents kilomètres, et ils s'installent pour la nuit. Ainsi ont-ils parcouru, en une journée, un trajet que l'on couvre habituellement en un mois et demi. Au troisième jour, ils atteignent le mont Liban. Gilgamesh grimpe au sommet, fait à Shamash une offrande et dit :

– Ô montagne, envoie-moi un songe favorable.

Enkidu se livre ensuite à un rituel magique : alors que le vent souffle puis s'apaise, il fait allonger son ami sur le sol et trace autour de lui un cercle protecteur.

Comme l'orge des champs s'incline au couchant, Gilgamesh, le menton sur les genoux, reçoit le sommeil que le soir verse sur les hommes. Au milieu de la nuit, il s'éveille et dit à Enkidu :

– J'ai reçu un songe, je vais te le raconter : nous avancions dans des gorges quand la montagne s'est écroulée, mais alors nous nous sommes dissipés comme un essaim de mouches.

Enkidu interprète le rêve :

– Mon ami, ton rêve est un excellent présage. La montagne, c'est Humbaba. Si elle s'écroule, c'est que nous allons le capturer et jeter son cadavre sur la plaine. Demain, Shamash nous enverra un autre heureux présage.

Le lendemain, ils parcourent à nouveau cinq cents kilomètres et parviennent au sommet d'une montagne. Gilgamesh honore le dieu Shamash, et Enkidu répète le rituel magique.

Le vent souffle puis s'apaise, et, comme l'orge des champs s'incline au couchant, Gilgamesh, le menton sur les genoux, reçoit le sommeil que le soir verse sur les hommes. Au milieu de la nuit, il s'éveille et dit à Enkidu :

– Mon ami, j'ai fait un songe effrayant, je vais te le raconter : je m'apprêtais à combattre un buffle des steppes. Il mugissait, fendait la terre de ses sabots et faisait s'en échapper des tourbillons de poussière qui montaient vers le ciel. Je me suis arc-bouté à lui et j'ai plié le genou. Je me suis enfoncé dans la terre, mais un homme est venu, m'a aidé à me dégager et m'a donné à boire.

Enkidu interprète le rêve et dit à Gilgamesh :

– Mon ami, ton rêve est un excellent présage. Ce buffle ne t'est pas hostile : c'est Shamash, il te ramène à la terre afin de te donner la force dont tu as besoin pour vaincre Humbaba. Quant à l'homme, c'est Lugalbanda, ton père ! En te faisant boire, il t'honore et te soutient. En nous associant sous leur protection, nous accomplirons de grands exploits.

Le lendemain, ils effectuent encore un trajet de cinq cents kilomètres et parviennent au sommet d'une montagne. Gilgamesh honore le dieu Shamash, et Enkidu s'acquitte une nouvelle fois du rituel magique.

Le vent souffle puis s'apaise, et, comme l'orge des champs s'incline au couchant, Gilgamesh, le menton sur les genoux, reçoit le sommeil que le soir verse sur les hommes. Au milieu de la nuit, il s'éveille et dit à Enkidu :

– Mon ami, j'ai eu un troisième songe des plus troublants, je vais te le raconter : les cieux grondaient, la terre se mettait à trembler. Le jour s'est obscurci, cédant la place aux ténèbres. Un éclair a zébré le ciel et un incendie s'est allumé. Les flammes et la mort pleuvaient. Et puis l'incendie a diminué, le feu s'est éteint et les braises sont devenues cendres.

Enkidu interprète le rêve et dit à Gilgamesh :

– Mon ami, ton rêve est un excellent présage. Nous ne périrons pas : tu es le ciel et je suis la terre, les dieux nous soutiennent. Nous porterons la mort au terrible Humbaba, que nous réduirons en cendres.

Le lendemain, ils accomplissent encore un trajet de cinq cents kilomètres et parviennent au sommet d'une montagne. Gilgamesh honore le dieu Shamash, et Enkidu répète une dernière fois le rituel magique. Le vent souffle puis s'apaise, et, comme l'orge des champs s'incline au couchant, Gilgamesh, le menton sur les genoux, reçoit le sommeil que le soir verse sur les hommes.

– Mon ami, un quatrième songe m'est venu, plus terrible encore. J'ai vu Anzu* planer dans le ciel, tel un nuage. C'était épouvantable : sa bouche crachait le feu et son haleine exhalait la mort. Un homme a surgi devant moi, et j'ai attrapé le monstre par les ailes.

– Mon ami, répond Enkidu, ton rêve est un présage heureux. Humbaba, comme Anzu, engendre le chaos, mais l'homme que tu as vu surgir est Shamash, notre dieu protecteur, et je serai à tes côtés quand tu terrasseras le monstre.

Le lendemain, les deux amis reprennent leur route, il leur faut encore trois jours pour atteindre la Forêt des cèdres. À la vue de cette sombre forêt, Gilgamesh sent en son cœur le poids du danger. Aussi se tourne-t-il vers Shamash et, levant les bras au ciel, il l'invoque :

– Puissant Shamash, j'ai quitté Uruk pour accomplir ta volonté et je t'implore de me préserver. Dans ces immenses forêts vit le terrible Humbaba, sa présence sème l'effroi. Je t'en prie, Shamash, exauce-moi ! Conseille-moi !

Du ciel lui parvient alors une voix alarmée :

– Traque-le, fais vite ! Tu l'empêcheras de se dissimuler dans les buissons et de gagner son repaire. Il ne porte encore qu'une seule des sept cuirasses magiques qui font sa force.

Ils se ruent alors dans la forêt, comme des buffles en furie. Mais le gardien des cèdres lâche son cri, et ce hurlement inhumain les emplit de terreur. Humbaba rugit encore, et les deux héros sont repoussés à la lisière des bois.

– Jamais nous ne pourrons pénétrer dans la forêt, constate Enkidu, et moins encore y abattre des arbres.

– Allons, mon ami ! repartit Gilgamesh. Moi aussi j'ai tremblé, comme toi, mais Shamash est avec nous.

– Le cri de Humbaba est tel qu'on nous l'a décrit : au moment où je pénétrerai entre les cèdres, mes membres seront paralysés et il me sera impossible de t'ouvrir la route.

– Enkidu, ignorons la faiblesse, nous avons fait un long voyage, nous parvenons à son terme. Tu es un expert au combat, et tu luttes mieux que quiconque. Nous allons enduire nos corps d'herbes magiques, ainsi tu ne craindras plus la mort. Et lorsque nous entrerons dans les bois, tu feras retentir ta voix. Qu'elle se déploie comme le rugissement du lion, que la paralysie de tes bras se dissipe et que tes jambes retrouvent leur force de taureau ! Prends ma main, ami, et cheminons ensemble ! Que ton cœur, méprisant la mort, brûle du désir de combattre. Il est sage, l'homme qui se montre prudent, mais il protège et sauve son ami, celui qui marche devant lui. Aux yeux de la postérité, il installe sa renommée.

Les deux amis restent longtemps à considérer la lisière des bois et la hauteur des cèdres.

TABLETTE V

Scrutant l'orée de la forêt, Enkidu et Gilgamesh constatent que les allées et venues de Humbaba ont dessiné des pistes dans les taillis. Ils voient aussi, au loin, la Montagne des cèdres, séjour des dieux, sanctuaire de la sainte Irnini*. À l'approche de la montagne, les cèdres répandent une douce fraîcheur et emplissent l'air de leur parfum.

La forêt est entourée de deux larges fossés, le premier large de dix kilomètres et le second de sept. Les deux héros les franchissent et pénètrent dans les bois. Ils progressent prudemment, attentifs au moindre bruit, lorsque, soudain, Humbaba, maintenant revêtu des sept cuirasses qui le rendent invulnérable, se dresse devant eux. Il n'a pas crié.

– Misérables humains, ne craignez-vous pas la malédiction d'Enlil ? rugit-il.

– Enkidu, fait Gilgamesh, regarde ! Il change de visage ! Mon cœur est empli de crainte.

Enkidu, néanmoins, le rassure :

– Allons ! Pourquoi baisser la tête ? Pourquoi parler si bas ? Nous n'avons plus qu'une issue : le vaincre ou mourir. Nous n'avons pas fait tout ce chemin pour reculer.

Mais Humbaba les interrompt :

– Qui t'a conseillé, Gilgamesh ? Quelque fou, quelque imbécile ? Qui t'a fait croire que tu saurais me vaincre ? Et toi, Enkidu, comme le poisson, tu ignores qui est ton père et, comme la tortue, tu n'as jamais tété le sein de ta mère. Je t'ai observé quand tu étais encore jeune, mais je me suis bien gardé de t'approcher. Maintenant je vais te tuer et je m'en réjouis. Car c'est toi qui as conduit Gilgamesh jusqu'ici. Je vais vous ouvrir la gorge et donner vos cadavres en pâture aux charognards.

Gilgamesh s'est ressaisi. Enkidu, le premier, sort ses armes et se rue sur le monstre.

– Tuons-le, au nom de tes dieux ! crie-t-il.

Gilgamesh, à son tour, dégaine l'épée et se précipite, brandissant la hache. Humbaba pousse son terrible cri. Le jour s'assombrit et de terrifiants éclairs illuminent les frondaisons. La montagne en est ébranlée. Il semble que la mort, telle une brume, les enserre. Shamash déchaîne alors tous les vents : vent du nord, vent du sud, vent d'est et vent d'ouest, bourrasques, rafales, tempêtes, tornades et cyclones immobilisent le monstre. Humbaba se sait à portée des armes de Gilgamesh ; pris dans la tempête, il ne peut ni avancer ni reculer.

– Gilgamesh, hurle-t-il, tu as été un enfant ! La divine Ninsuna et le noble Lugalbanda t'ont engendré pour que tu deviennes le vénéré souverain d'Uruk. Grâce à Shamash, tu es parvenu en ces lieux. Tu n'élèveras pas les armes pour me tuer, épargne-moi ! Je me mettrai à ton service, ta cité recevra tous les arbres que tu voudras. J'abattrai pour toi le genévrier, le cèdre et le myrte: toutes les essences dont tu peux rêver pour embellir ta ville.

Enkidu prend alors la parole:

– Ne l'écoute pas, mon ami, nous avons le soutien de Shamash. Ignore sa prière et tue-le!

– Vous connaissez pourtant, reprend Humbaba, l'antique loi qui a fait de moi le gardien de ces lieux. Enkidu, mon ami, j'aurais pu te tuer vingt fois, j'aurais pu t'égorger et te donner en pâture aux charognards. Mais je ne l'ai pas fait. Tu peux maintenant épargner ma vie: il te suffit de le demander à Gilgamesh.

Mais Enkidu dit à Gilgamesh:

– Mon ami, nous n'avons aucune pitié à avoir. Le gardien de la forêt a fait son temps. Achève-le, tue-le, écrase-le, avant qu'Enlil entende sa prière et que Shamash se mette en colère contre nous. Assure ta réputation pour les siècles des siècles. Que l'on puisse dire: «Il a tué Humbaba le terrible, il a débarrassé le monde du fléau des forêts!»

Alors Humbaba le supplie, le cœur toujours plein d'effroi:

– Enkidu, mon ami, dévoile la bonté de ton cœur! Rappelle-toi, tu étais assis comme un berger au milieu de ta harde, j'aurais pu t'égorger. À ton tour, montre-toi magnanime, il te suffit d'implorer la clémence de Gilgamesh.

Enkidu ne veut rien entendre.

– Gilgamesh, mon ami, dit-il, achève-le, tue-le, écrase-le, avant qu'Enlil entende sa prière et que Shamash se mette en colère contre nous. Songe à la gloire qui t'attend : pour la postérité, tu seras à jamais celui qui aura mis fin à la terreur des forêts, l'effroyable Humbaba.

Comprenant que le souverain d'Uruk n'aurait aucune pitié, Humbaba dit alors :

– Qu'ils soient maudits ! Qu'ils ne puissent pas vieillir ensemble, que jamais Gilgamesh ne retrouve un ami en ce monde et que la mort le tourmente de tous ses aiguillons !

Enkidu dit à Gilgamesh :

– Mon ami, tu n'entends pas mes paroles, je vais donc moi-même expédier Humbaba dans l'autre monde.

Et il s'élance, brandissant l'épée et la hache. Mais Gilgamesh frappe le premier. À cinq reprises, ils doivent abattre leurs armes tandis que Humbaba bondit, tentant de leur échapper. Quand il est à terre, ils l'achèvent à coups d'épieu. Aussitôt, d'épaisses ténèbres s'abattent sur la montagne. Le sang du gardien des cèdres commence à sécher sur le sol quand les deux héros se mettent à le piétiner et à démembrer les sept cuirasses qui le protègent et qu'il a tant de fois utilisées pour éblouir et terrasser ses adversaires. Ils lui arrachent les intestins et les poumons, éparpillent ses viscères et tranchent sa tête, qu'ils déposent dans un seau de métal. Son cadavre empuantit tout le pays lorsque la pluie se met à tomber en abondance.

Gilgamesh rend grâce à Shamash et lui offre un sacrifice, puis il se tourne vers Enkidu et lui dit :

– Choisis les arbres que nous abattrons pour les emporter à Uruk.

Ainsi Enkidu marque-t-il les troncs que son ami abat. Alors qu'un arbre aux dimensions impressionnantes vient de tomber, il dit à Gilgamesh :

– Ce cèdre était si élevé que sa cime touchait le ciel, nous pourrions en faire la porte du temple d'Enlil, à Nippur[1]. D'un seul tenant, elle aurait trente-six mètres de haut, douze de large et un demi-mètre d'épaisseur. Nous la porterons à Nippur pour qu'elle devienne l'un des plus beaux ornements du temple d'Enlil.

Il en est fait comme le souhaite Enkidu. Gilgamesh et lui taillent la porte du temple, fabriquent un radeau et descendent l'Euphrate. Ils emportent la gigantesque porte jusqu'au temple d'Enlil, à Nippur, où la foule les acclame. Puis le fleuve les conduit à Uruk. Lorsque Gilgamesh, tenant à la main la tête de Humbaba, franchit la grande porte d'Uruk, il est accueilli par un peuple en liesse.

1. La ville est connue pour être le lieu de culte principal du dieu Enlil. (*N.d.T.*)

TABLETTE VI

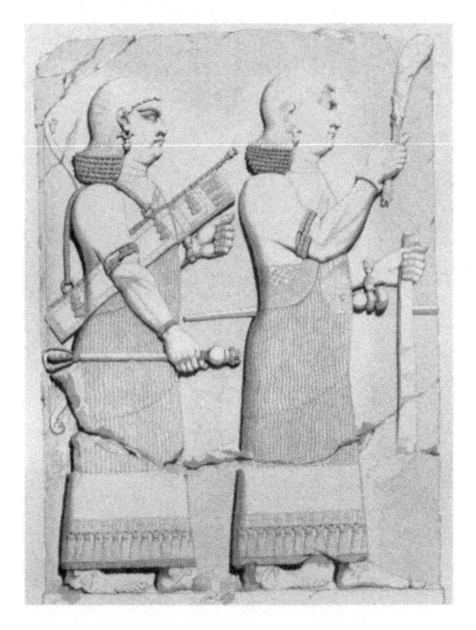

À son retour, Gilgamesh se lave les cheveux, se coiffe d'un bandeau propre et laisse sa chevelure se déployer sur son dos. Il troque ses vêtements sales contre une tunique impeccable et une bande d'étoffe dont il se ceint la taille. Quand il a coiffé sa couronne, le souverain d'Uruk subjugue la déesse Ishtar par sa beauté.

– Gilgamesh, lui dit-elle, offre-moi ton amour, accepte de m'épouser. Tu seras mon mari, et je serai ta femme. Je t'offrirai un char de lazulite et de métaux précieux. Ses roues seront d'or pur. Tu pourras y atteler des coursiers fougueux qui te conduiront jusqu'à notre palais dans le suave parfum des cèdres. Quand tu y pénétreras, les prêtres te baiseront les pieds. Rois, princes et souverains se prosterneront devant toi. Ils te donneront, en offrande, des produits d'ici et de leurs pays. Tes chèvres auront toujours trois petits et tes brebis deux. Tes ânons pourront porter des charges plus lourdes que les mulets adultes. Les chevaux de tes chars remporteront toutes les courses et tes buffles n'auront pas leurs pareils pour conduire la charrue.

Mais Gilgamesh lui répond :

– Et combien me coûtera ton amour ? Devrai-je t'offrir les meilleurs parfums, les plus beaux vêtements ? Comment te nourrirai-je ? Te faudra-t-il les mets les plus sublimes ? Comment pourrai-je te désaltérer ? Pourras-tu boire autre chose que le nectar des dieux ? Et je suppose que c'est un démon qui nous unira pour les siècles des siècles. Regagne donc ta place, dans l'ombre du mur. Non, je ne veux pas de toi pour épouse. Tu n'es qu'un brasier qui s'éteint au froid, une porte battante qui ne retient ni vents ni courants d'air, un palais qui s'écroule sur les plus braves de ses défenseurs, un éléphant qui jette à bas son cornac, un bitume qui souille celui qui le touche, une outre qui se déverse sur son porteur, une pierre de fondation qui s'effrite sous le mur qu'elle soutient, un bélier qui défonce les murailles d'une cité amie, une chaussure qui blesse le pied qu'elle devrait protéger.

« Veux-tu que je passe en revue les infortunes de ceux qui t'ont aimée ? Tammuz, ton amour de jeunesse, tu l'as envoyé aux Enfers à ta place, si bien que, tous les ans, nous fêtons son départ. Alalu, l'oiseau aux mille couleurs, tu l'as aimé avant de lui briser les ailes, et il parcourt désormais les bois, pleurant sans cesse sa liberté perdue. Et le lion, d'une vigueur à nulle autre pareille, tu l'as aimé avant de creuser pour lui le piège qui lui fut fatal. Et le cheval dressé au combat, tu l'as aimé avant de lui donner le fouet et de le condamner à des courses sans fin après lesquelles il ne s'abreuve que d'une eau qu'il a souillée lui-même. Le berger qui conduisait ses troupeaux, tu l'as aimé, lui qui te préparait des petits pains cuits sous la cendre, lui qui t'immolait ses jeunes chèvres, tu l'as métamorphosé en loup, si bien qu'il est devenu la proie de ses propres chiens et que ses valets lui donnent la chasse. Et Ishullanu, le jardinier de ton père, qui, chaque jour, t'offrait des corbeilles de dattes et mettait tout son cœur à servir tes repas. Tu l'as transformé en crapaud. Tu l'as condamné à demeurer dans son jardin, qu'il ne peut désormais ni fertiliser ni arroser. Est-ce le même sort que tu me réserves ? »

Entendant ces paroles, Ishtar est saisie de fureur et se rend au séjour des dieux. Elle va trouver Anu, son père, et lui dit :

– Mon père, Gilgamesh m'a gravement offensée, il m'a insultée. Il m'a accusée de choses ignobles et m'a couverte d'imprécations.

– Es-tu bien certaine de ne pas l'avoir provoqué ? demande le roi des dieux.

– Anu, je t'en prie, accorde-moi le Taureau céleste, qu'il dévaste la demeure de Gilgamesh et le tue. Si tu refuses, je descendrai jusqu'au royaume des morts et je les ferai revenir pour qu'ils s'en prennent aux mortels. Et il y aura alors plus de morts que de vivants.

– Si je libère le Taureau céleste, Uruk connaîtra sept années de famine. Il te faudra donc d'abord procurer aux habitants des provisions de grain et pourvoir les paysans d'abondantes réserves de fourrage pour leurs bêtes.

– Je donnerai du grain aux hommes et du fourrage aux animaux, mais je veux obtenir réparation.

Entendant ces paroles, Anu remet à Ishtar les rênes du Taureau céleste, et la déesse le conduit à Uruk. De son souffle puissant, le Taureau balaie les rues de la cité en tempête. Il se rend ensuite sur les rives de l'Euphrate et s'y abreuve : sept lampées suffisent à faire baisser le niveau du fleuve. En s'ébrouant, il fissure le sol d'une crevasse dans laquelle s'abîment cent des plus braves défenseurs d'Uruk. Quand il s'ébroue encore, une nouvelle crevasse fend le sol, et Enkidu y tombe jusqu'à la ceinture. Il s'en extirpe d'un bond et saisit le Taureau par les cornes. Cependant, l'animal se défend : il bave abondamment et projette de la bouse avec sa queue.

– Mon ami, dit Enkidu à Gilgamesh, nous sommes sortis vainqueurs de la Forêt des cèdres, nous voici maintenant confrontés à un nouveau péril auquel je ne sais comment faire face.

– Ce n'est qu'une bête, Enkidu, nos forces en viendront à bout, et je lui arracherai le cœur pour le donner en offrande à Shamash.

– Je vais le harceler, répond Enkidu, le saisir par la queue et l'empoigner de mes deux mains pour le clouer au sol. Tu pourras alors t'approcher suffisamment pour lui enfoncer ton épée dans l'échine.

Enkidu harcèle le taureau, le saisit par la queue et l'empoigne de manière à le maintenir fermement au sol. Alors Gilgamesh s'en approche et lui plonge avec adresse son épée dans l'échine.

Quand l'animal a rendu son dernier souffle, ils lui arrachent le cœur et le donnent en offrande à Shamash, dieu du Soleil, devant qui ils se prosternent. Ils s'assoient ensuite l'un à côté de l'autre.

Mais, pendant ce temps, Ishtar est montée sur les remparts d'Uruk, elle a revêtu les vêtements du deuil et lance une longue plainte :

– Gilgamesh m'a humiliée, il a tué le Taureau céleste !

Quand Enkidu l'entend, il arrache une cuisse à la dépouille du Taureau et la lui jette au visage.

– Si je t'avais attrapée, dit-il à la déesse, je t'aurais fait la même chose et je t'aurais couverte des entrailles de la bête !

Ishtar rassemble les prêtres et les courtisanes sacrées et leur fait entonner les lamentations d'usage.

Puis Gilgamesh convoque les artisans et les forgerons de la ville qui, tous, sont impressionnés par le volume des cornes du Taureau. Il ordonne qu'elles soient serties de lazulite et recouvertes d'or. Puis il fait placer ce prestigieux trophée dans la chambre de Lugalbanda, son père et dieu protecteur, afin que l'on y garde les onguents et parfums qui lui sont adressés en offrande.

Gilgamesh et Enkidu vont ensuite se laver les mains dans l'Euphrate. Ensemble, ils parcourent en char les rues de la cité d'Uruk sous les yeux de la foule rassemblée.

Gilgamesh dit :

– Nous avons démembré le Taureau céleste, dans notre fureur nous avons jeté sa cuisse au visage d'Ishtar, et il ne s'est trouvé personne dans la ville pour la consoler.

Gilgamesh commande ensuite un festin en son palais. La soirée donne lieu à de grandes réjouissances. Et, alors que dorment les convives, Enkidu, qui, lui aussi, s'est laissé aller au sommeil, a un songe. À son réveil, plongé dans une grande anxiété, il court le rapporter à Gilgamesh :

– Anu, Enlil, Éa et Shamash tenaient conseil. Anu s'est adressé à Enlil. Il a dit : « Ils ont tué Humbaba, ils ont massacré le Taureau céleste : celui qui a dépouillé la Montagne des cèdres doit mourir ! » Mais Enlil a répondu : « C'est Enkidu qui doit mourir, Gilgamesh doit demeurer en vie. » Alors Shamash le divin a répliqué au vaillant Enlil : « C'est sur mes ordres qu'ils ont délivré la Forêt des cèdres de Humbaba et c'est avec mon accord qu'ils ont tué le Taureau céleste. Pourquoi Enkidu devrait-il mourir ? » Mais Enlil s'est adressé avec colère au divin Shamash : « Tu parles ainsi parce que tu les as accompagnés comme un ami tout au long de leur périple ! »

Enkidu achève son récit en larmes. Et les larmes ruissellent également sur le visage de Gilgamesh :

– Mon ami, mon frère, s'écrie-t-il, on veut t'enlever à moi ! Je devrai donc franchir la porte du royaume des morts et m'installer parmi eux, car jamais je ne pourrai me résoudre à ne plus te voir, mon cher frère.

TABLETTE VII

– Rendons-nous à Nippur, pour obtenir les faveurs d'Enlil, dit Enkidu.

Quand ils parviennent à l'entrée du temple d'Enlil, il voit la porte qu'ils ont taillée en son honneur. Il lève les yeux vers elle et se met à lui parler comme à un être humain :

– Ô porte issue des forêts, tu n'as ni mémoire ni intelligence. J'ai arpenté des kilomètres pour trouver le bois dont tu es faite, j'ai cherché le plus imposant des cèdres, et son bois était sans pareil. Je t'ai donné des dimensions incomparables : trente-six mètres de haut, douze de large et un demi-mètre d'épaisseur. Je t'ai fabriquée et transportée jusqu'à Nippur, au temple d'Enlil. Si j'avais su la récompense que tu me réservais, je t'aurais taillée en morceaux, et ce sont tes débris que nous aurions chargés sur le radeau. Oui, c'est moi qui t'ai fabriquée, porte, moi qui t'ai transportée et m'en voici bien mal récompensé ! Puisses-tu céder aux assauts, être maudite par un roi, anéantie par un dieu ! Que quelqu'un vienne effacer ce nom – mon nom ! – gravé dans ton bois pour y écrire le sien !

Gilgamesh, entendant ces propos, ne peut retenir ses larmes, mais, en toute hâte, il met fin aux imprécations de son ami.

– Enkidu, toi qui as l'esprit ample et pénétrant ! Mon ami, toi d'habitude si raisonnable, tu parles de façon inconsidérée ! Pourquoi ton cœur t'inspire-t-il des paroles aussi insensées ? Malgré la peur que tu éprouves, ton rêve n'est pas aussi terrible que tu le penses, c'est même un heureux présage. Les dieux n'inspirent pas la crainte aux malades, c'est donc à un homme bien portant qu'ils ont envoyé ce rêve. Je vais les invoquer pour toi : je m'adresserai à ton dieu protecteur, je prierai Enlil, le père des dieux, pour qu'il t'envoie des songes favorables. Je ferai de toi une statue en or et la lui confierai. Ne t'inquiète pas, mon ami, cet or fera merveille. Enlil est connu pour sa détermination : jamais il ne revient sur une décision. C'est ainsi que s'accomplit le destin des hommes.

Mais, quand l'aube paraît, Enkidu pleure toujours. Il tourne son visage ruisselant de larmes vers les feux de Shamash, dieu du Soleil :

– Je me tourne vers toi, Shamash, car le destin m'est hostile. Ce chasseur, ce poseur de collets qui m'a détourné des miens et m'a rendu étranger au milieu d'eux, qu'à son tour il devienne étranger parmi les siens ! Que la fortune s'écarte de lui et qu'il n'ait plus aucun moyen de subsistance ! Que le gibier déserte ses pièges et que ses biens s'évaporent !

Quand il a maudit le chasseur, lui vient alors l'envie de s'en prendre à la fille de joie qui l'a conduit à Uruk.

– Ô triste fille, je profère contre toi une malédiction qui t'assignera un destin fatal ! Que jamais tu ne puisses bâtir un foyer heureux ! Que jamais tu ne cajoles un enfant né de ton sein ! Que l'ivrogne te souille de ses vomissures ! Que jamais plus fiole de parfum ne te délivre son contenu ! Que ta maison soit un seuil de porte ou le bord d'un chemin ! Que les épines des ronces te lacèrent les pieds et que tu hantes sans fin les remparts d'Uruk ! Que les soûlards te giflent à leur guise ! Que, dans la rue, on se moque de toi ! Que personne ne comble les fissures de ta maison, que s'y installe la chouette et que jamais ne s'y donne un festin ! Parce que moi, qui vivais en toute liberté, tu m'as conduit à la ville et tu m'as causé du tort.

Les imprécations d'Enkidu parviennent à Shamash qui aussitôt l'interpelle :

– Enkidu, pourquoi t'en prends-tu ainsi à la fille de joie ? Elle t'a nourri de mets divins, t'a fait boire le breuvage des rois, t'a paré de magnifiques vêtements, t'a donné pour ami le noble Gilgamesh qui est devenu, pour toi, comme un frère jumeau. Il te fera reposer dans un grand lit, te gardera une place à sa gauche, et tous les nobles te rendront hommage. Pour toi, il engagera tout le pays dans le deuil, les plus prestigieuses personnalités d'Uruk gémiront et se lamenteront. Lui-même, après ta mort, se dépouillera de ses atours et, revêtu de la seule peau du lion, comme une bête, il hantera les steppes.

Ayant entendu le glorieux Shamash, Enkidu laisse enfin sa colère s'apaiser :

– Ô toi, la fille de joie qui m'a tiré du désert, je te souhaite un destin tout autre. Ma bouche qui t'a maudite se dédit, et je te bénis. Que tu trouves tes amants parmi les nobles et les princes ! Que tout homme, dans un rayon de vingt kilomètres, piaffe d'impatience à l'idée de te rejoindre ! Et que le soldat t'offre des parures d'obsidienne ! Que tes mains soient remplies de bijoux en or ! Que tu sois conduite au temple des dieux et que, pour toi, l'homme abandonne la mère de ses sept enfants !

Cependant, Enkidu dépérit et, alors qu'il reste alité, il fait venir Gilgamesh pour lui ouvrir son cœur :

– Mon ami, la nuit m'a encore envoyé un rêve funeste : le ciel grondait, la terre lui faisait écho, et je me tenais debout entre eux. Un homme vigoureux, aux traits sombres, et qui ressemblait à Anzu, s'est approché de moi. De ses mains, des pattes de lion aux serres d'aigle, il m'a saisi par les cheveux. Les coups que je voulais lui donner ne rencontraient que le vide car il bondissait sans cesse. Il m'a frappé et m'a jeté à terre comme un fétu de paille, il m'a piétiné comme le taureau piétine sa victime. Et, alors qu'il m'étreignait tout le corps, je t'ai appelé à l'aide, mais tu ne m'as pas secouru parce que tu avais peur. Alors il m'a métamorphosé en pigeon, et j'ai vu mes bras se couvrir de plumes. Il m'a obligé à le suivre et m'a conduit jusqu'à l'obscur séjour d'Ereshkigal*. En ce lieu d'où nul ne revient, sur le chemin qu'on ne parcourt qu'une fois, en ce lieu dont les habitants, privés de lumière, ne se nourrissent que de poussière et de boue, et où, revêtus de plumes, ils errent à jamais dans les ténèbres. Moi-même, une fois parvenu dans ce monde, j'ai pu y voir une assemblée de têtes couronnées et y entendre le murmure de ces bouches qui, autrefois, commandaient la terre, les bouches de ceux qui, jadis, donnaient en offrande à Enlil et Anu de la viande grillée ou du pain cuit et versaient l'eau fraîche en leur honneur. Dans ce séjour plein de poussière demeurent les pontifes et les dignitaires, les exorcistes et les prêtres de haut rang. J'y ai vu Étana* et Ereshkigal, la souveraine des Enfers, et Gestinana*, sa greffière, qui consigne les noms des nouveaux arrivants sur une tablette d'argile.

La voix faible d'Enkidu s'interrompt. « Mon ami a fait un songe funeste », se dit Gilgamesh.

Alors Enkidu reprend :

– Gilgamesh, toi qui, en ma compagnie, as traversé tant de périls, ne m'oublie pas, n'oublie pas ce que nous avons accompli.

À compter de ce moment, Enkidu ne peut se relever, de jour en jour son mal ne fait qu'empirer. Au douzième jour de sa maladie, il se redresse et appelle Gilgamesh :

– Mon ami, s'exclame-t-il, tu m'as donc abandonné ! Ne devions-nous pas pourtant demeurer inséparables ?

TABLETTE VIII

Quand l'aube fait paraître les premières lueurs du jour, Gilgamesh s'adresse au corps d'Enkidu :

– Mon ami, tu as eu une gazelle pour mère, un âne sauvage pour père. Tu as grandi en buvant le lait de l'onagre. En compagnie de ta harde, tu as brouté les pâturages et vagabondé librement dans les plaines.

« Qu'ils te pleurent, les chemins que tu as parcourus pour gagner la Forêt des cèdres. Que leurs plaintes emplissent le jour et la nuit.

« Qu'ils te pleurent, les anciens de la cité d'Uruk, eux qui avaient béni notre périple.

« Qu'elles te pleurent, les eaux pures des montagnes que nous avons gravies tant et tant de fois.

« Qu'elles te pleurent, les campagnes, qu'elles déchirent l'air de leurs cris, comme le ferait une mère.

« Qu'elles te pleurent, les forêts, que cèdres et cyprès gémissent au vent.

« Qu'ils te pleurent, les animaux des steppes et des forêts, ours, hyènes, panthères, tigres, cerfs, daims, bouquetins et tous ceux de ta harde.

« Qu'ils te pleurent, les jeunes gens d'Uruk qui nous ont vus tuer le Taureau céleste.

« Qu'elle te pleure, la fille de joie qui, avec toi, goûta les délices de l'amour.

« Qu'ils te pleurent, les bergers qui t'ont nourri, désaltéré, et dont tu as protégé les troupeaux de la morsure des loups.

« Qu'ils te pleurent, les jeunes mariés que, dans ta sagesse, tu as protégés de mon désir.

« Qu'il te pleure, le scribe qui, pour la première fois, a inscrit ton nom sur une tablette.

« Qu'ils te pleurent, les habitants d'Uruk, que tous soient pour toi comme des frères ou des sœurs et qu'en signe de deuil, ils dénouent leurs cheveux.

« Moi, j'étais ton ami, ton frère, nous étions les deux faces de la même médaille, et je vais me lamenter au désert d'où tu es venu.

« Vous, anciens de la cité, et vous, jeunes gens d'Uruk, écoutez-moi. Je pleure mon ami et j'éclate en sanglots comme le ferait une pleureuse car il était la hache à mon flanc, le secours de mon bras, l'épée à ma ceinture ; il était, pour moi, la certitude de la victoire. Ô Enkidu, mon frère ! Il aura fallu qu'un démon surgisse de terre pour s'emparer de toi et me dépouiller de ce que j'avais de plus cher.

« Ô mon ami, mulet impétueux, onagre du désert, léopard des steppes, toi qui m'as accompagné dans cette course à travers les montagnes, qui m'as aidé à délivrer les forêts du terrible Humbaba et à terrasser le Taureau céleste, quel est donc ce sommeil qui te rend si sombre et qui fait que tu ne m'entends plus ? »

Mais Enkidu ne lève pas la tête. Gilgamesh applique son oreille contre la poitrine de son ami pour écouter un cœur qui ne bat plus. Alors, comme on le fait pour une jeune épousée, il dépose un voile sur le visage de son compagnon.

Et, tout le jour, il rôde autour de son corps, telles l'aigle ou la lionne privées de leurs petits. Il va et vient sans cesse, s'arrachant les cheveux, et abandonne ses beaux vêtements qu'il rejette avec horreur.

Quand l'aube fait paraître les premières lueurs du jour, il lance un appel par tout le pays :

– Forgerons, métallurgistes, lapidaires, orfèvres, sculpteurs, je veux une statue de mon ami, une statue comme jamais personne n'en aura fait ériger. Que ses proportions soient parfaites, et que l'on emploie les matériaux les plus précieux.

Il est fait comme le souhaite Gilgamesh : les artisans d'Uruk fabriquent une statue d'or et de lapis-lazuli telle que nul n'en a jamais vu.

– Et maintenant, dit-il, moi, ton ami, ton frère, je vais te faire reposer dans un grand lit qu'on aura préparé avec soin. Mais, avant, tu occuperas un siège royal, et je t'installerai à mes côtés pour signifier à mes sujets la place que tu occupes dans mon cœur. Les princes d'Uruk viendront te baiser les pieds, et je commanderai que tous les habitants, même les plus prestigieux, prennent le deuil. Moi-même, je dénouerai mes cheveux et, vêtu d'une peau de lion, je parcourrai le désert.

Et il est fait comme Gilgamesh l'a dit : on rend à Enkidu les honneurs dus à un roi, et les nobles viennent se prosterner à ses pieds.

Quand l'aube fait paraître les premières lueurs du jour, Gilgamesh ôte ses vêtements, revêt la tenue rouge du deuil et, tandis qu'on porte son ami en terre avec tous les honneurs réservés aux princes, il a la vision du fleuve des Enfers.

Une fois la cérémonie terminée, il songe à honorer Shamash et lui fait offrande d'un grand plateau de bois précieux couvert de miel, d'une jatte de cornaline rouge remplie de beurre et d'une coupe de lazulite bleue pleine de bière. Alors il prie Shamash de veiller sur le voyage d'Enkidu dans l'au-delà.

TABLETTE IX

Pleurant toujours Enkidu, Gilgamesh parcourt les steppes, ruminant les mêmes pensées: «Vais-je aussi devoir mourir? Serai-je pareil au cadavre de mon ami? Je suis saisi d'angoisse, et c'est la peur de la mort qui me fait ainsi vagabonder. Il me faut trouver Utanapishtim*.»

Gilgamesh prend la direction de l'est et parvient au sommet d'un col montagneux. Là, il aperçoit des lions. Surmontant sa frayeur, il invoque le grand dieu Sin* et la sublime Ningal*:

– Ô, glorieux Sin, et toi, sublime Ningal, la plus grande des déesses, protégez-moi de ces nouveaux périls.

Il s'est endormi quand un songe le tire en sursaut de son sommeil. Les fauves sont en train de boire, insouciants, il brandit sa hache, dégaine son épée et, fondant sur le troupeau à la vitesse de l'éclair, disperse les lions et massacre les plus beaux des mâles.

Se tournant alors vers Sin, il le remercie avant de regagner sa couche.

Le lendemain, il poursuit sa route et atteint les Monts jumeaux, gardiens de la porte du soleil. Leurs sommets touchent la voûte céleste et leurs fondements prennent assise sur les Enfers. Des Hommes-Scorpions en défendent l'entrée; leur aspect est terrifiant : d'un seul regard, ils peuvent tuer quiconque les approche. Leur éclat surnaturel illumine les flancs de la montagne.

Lorsque Gilgamesh les aperçoit, il se voile la face et, surmontant l'horreur qu'ils lui inspirent, ose les saluer. Un Homme-Scorpion interpelle sa femelle :

– Qui vient vers nous ? S'agit-il d'un dieu ou d'une créature de chair ?

– Il est humain pour un tiers et divin aux deux tiers, répond la femelle.

L'Homme-Scorpion s'adresse alors à Gilgamesh, fils des dieux :

– Pour quelle raison as-tu fait un si long voyage ? Et pourquoi viens-tu jusqu'à nous à travers ces montagnes si difficiles à escalader ? Je veux savoir ce qui t'amène.

– Si j'ai entrepris un tel voyage, c'est pour rendre visite à Utanapishtim, celui que les dieux ont admis à leur conseil et qui a obtenu la vie éternelle. Je veux l'interroger sur la vie et sur le moyen d'échapper à la mort.

– Personne, répond l'Homme-Scorpion, n'a encore entrepris un tel périple. Nul ne s'est jamais engagé dans le défilé qui sépare ces montagnes : des centaines de kilomètres de ténèbres profondes t'attendent si tu y pénètres.

– J'ai fait tout ce chemin la peur au ventre, hanté, obsédé par la mort. J'ai affronté la froidure de l'aube et la canicule du désert. Je suis épuisé, à bout de forces. Mais, quoi qu'il arrive, je poursuivrai ma route.

– Eh bien, dit l'Homme-Scorpion, va, Gilgamesh. Franchis la passe des Monts jumeaux. Que ces régions si pénibles d'accès te soient accueillantes et que la porte du soleil s'ouvre largement devant toi.

Ces paroles réjouissent Gilgamesh qui emprunte le passage entre les montagnes. Au bout de dix kilomètres, il se trouve plongé dans une obscurité si épaisse qu'il ne voit plus rien, ni devant, ni derrière lui. Au fur et à mesure qu'il progresse, la nuit se fait plus dense, et c'est dans l'absolue noirceur des ténèbres qu'il doit encore avancer sur des centaines de kilomètres. Il sent alors un vent frais lui caresser le visage, mais les ténèbres demeurent. Il parcourt encore cent dix kilomètres, et un rayon de soleil troue l'obscurité, puis cent vingt kilomètres de plus, et il atteint le jour.

Le voici arrivé au jardin des dieux, là où les arbres sont chargés de pierres précieuses. Cèdres, cyprès, dattiers, acacias, caroubiers, peupliers y déploient leurs frondaisons de lazulite et d'or. Les fruits et les grappes, dans leur splendeur, sont de cornaline. Le sol y est couvert de rubis, d'agates et de turquoises.

Gilgamesh déambule, émerveillé. C'est alors que Shamash le divin l'interpelle :

– Où vas-tu donc, Gilgamesh ? La vie sans fin que tu cherches, tu ne la trouveras pas.

Et Gilgamesh répond:

– Après un si long voyage et tant de jours passés à errer dans la steppe, je sais que les Enfers m'attendent, une éternité de sommeil et d'inaction. Mes yeux pourront désirer le soleil, ils ne recevront que profondes ténèbres. Est-il permis à un mort de revoir la face du soleil?

Il poursuit sa route et atteint les rivages de sable d'une mer immense.

TABLETTE X

Sur cette plage sans limites, est installée Siduri*, la tavernière, la nymphe qui vit au fond des océans. Les portes de son commerce sont ouvertes. Elle se trouve près d'une cuve à bière en or, entourée de tréteaux supportant d'innombrables jarres.

Non sans hésitation, Gilgamesh s'approche de la nymphe. Il n'est vêtu que d'une peau de bête, mais sa prestance révèle sa nature divine. La peur, cependant, lui tord le ventre, et la fatigue du voyage se lit sur ses traits.

La tavernière l'examine longuement: « N'est-ce pas là un criminel? se dit-elle. Pourquoi emprunte-t-il ce chemin? Où va-t-il? » Après réflexion, elle ferme sa porte, tire le verrou et grimpe sur le toit.

– Qu'y a-t-il donc, tavernière? crie Gilgamesh. Pourquoi me fermer ta porte et grimper sur le toit? Dois-je démolir cette porte et en briser les serrures?

– Qui es-tu, étranger? répond Siduri. Et pourquoi ton visage est-il si sombre?

– Je suis Gilgamesh, c'est moi qui ai abattu le terrible Humbaba, gardien de la Forêt des cèdres, c'est moi qui ai mis à mort le Taureau céleste que les dieux avaient déchaîné sur ma cité d'Uruk, c'est moi qui ai tué les lions qui gardent la passe entre les montagnes.

– Est-ce à cause de tous ces exploits que tu as les joues si creuses, le regard si sombre et le visage si abattu ?

– Tavernière, si j'ai les joues creuses, le regard sombre et la mine abattue, c'est parce que mon ami Enkidu, que je chérissais parmi tous les hommes et qui avait traversé avec moi tant d'épreuves, mon ami Enkidu, te dis-je, n'est plus. Je l'ai pleuré des jours et des nuits et l'ai tenu dans mes bras jusqu'à ce que les vers lui sortent du nez. Alors la peur de la mort s'est emparée de moi et j'ai erré dans la steppe. Je dois savoir si la mort est aussi mon lot.

– Gilgamesh, répond-elle, la vie sans fin que tu cherches, tu ne la trouveras pas. Lorsque les dieux ont créé l'homme, ils lui ont donné la mort pour destin, se réservant, pour eux, la vie éternelle. Songe à te nourrir de mets délicieux, goûte les plaisirs de la fête ! Que ton corps s'enivre des mouvements de la danse ! Habille-toi de vêtements bien propres et lave-toi en goûtant les joies du bain ! Contemple avec tendresse l'enfant que tu tiendras par la main et qui fera la joie de ton épouse. Cherche à faire son bonheur et serre-la dans tes bras. Tel est le sort des humains.

Mais Gilgamesh ne l'écoute pas...

– Pourquoi ce discours ? N'es-tu pas celle dont le palais occupe le fond des mers ? Tu dois donc connaître la mer de l'intérieur. Indique-moi le chemin ! Par où faut-il passer pour rejoindre

Utanapishtim ? Je t'en prie, dis-le-moi ! Oui, si c'est possible, je franchirai cette mer, sans quoi je reprendrai mon errance dans les steppes.

– Il n'y a pas de route, répond Siduri. Depuis la nuit des temps, nul n'a jamais franchi cette mer. Seul Shamash le valeureux peut le faire. C'est un voyage périlleux, un parcours semé d'embûches. Que feras-tu lorsque tu aborderas la passe aux eaux mortelles ? Pas un humain ne saurait s'y risquer.

Mais rien ne semble pouvoir faire entendre raison à l'obstiné Gilgamesh. Alors la tavernière lui dit :

– Le seul qui puisse quelque chose pour toi, c'est Urshanabi*, le nocher d'Utanapishtim.

– Où puis-je le trouver ?

– Il vit dans la forêt en compagnie des Hommes de pierre. Présente-toi à lui, et il se peut qu'il accepte de te montrer le chemin. Mais si tu n'obtiens pas son aide, il te faudra renoncer.

Saisissant sa hache et tirant son épée du fourreau, Gilgamesh se glisse dans les bois. Comme une flèche, il fond en criant sur Urshanabi et les Hommes de pierre. Surpris par son cri et par ses armes étincelantes, le nocher prend peur et s'enfuit. Gilgamesh s'attaque alors aux Hommes de pierre qui assurent la garde du bateau. À coups de hache, il les démembre et jette leurs restes dans les profondeurs de la mer.

Il découvre alors le nocher qui s'est réfugié derrière un buisson.

– Tu es bien Urshanabi, le passeur ? demande Gilgamesh, menaçant.

L'autre, terrifié, ne répond pas.

– Je veux rejoindre Utanapishtim, conduis-moi jusqu'à lui.

Le nocher a retrouvé un peu d'assurance :

– Comment veux-tu que nous passions ? Tu viens de compromettre tout espoir : en effet, les Hommes de pierre que tu as détruits étaient les seuls à pouvoir tirer le bateau dans les eaux mortelles. Un humain ne saurait toucher ces eaux sans succomber.

– Tout est donc perdu, fait Gilgamesh. J'ai traversé les steppes et franchi les Monts jumeaux pour rien. Ô Enkidu, mon ami, que n'es-tu encore avec moi !

– Il y a peut-être une solution, dit le nocher. Va couper cent vingt perches de trente mètres de long. Tu les ébrancheras et tu les garniras chacune d'une pointe de métal.

À peine a-t-il entendu la proposition d'Urshanabi que Gilgamesh se précipite dans la forêt. Travaillant avec ardeur, il a bientôt taillé les cent vingt perches qu'il apporte au nocher.

Ils embarquent sans tarder et couvrent en trois jours une distance parcourue ordinairement en un mois et demi. Quand ils arrivent aux eaux mortelles, Urshanabi dit à Gilgamesh :

– Prends la première perche, plonge-la doucement dans la mer, mais veille à ne jamais entrer en contact avec l'eau car elle te ferait périr immédiatement. Tu prendras appui sur le fond et tu pousseras, puis tu lâcheras la perche et tu en prendras une deuxième, avec laquelle tu feras de même, et ainsi de suite jusqu'à ce que nous ayons franchi les eaux mortelles. Tu pourras, de cette manière, faire avancer le bateau.

Gilgamesh fait ce que le nocher lui a recommandé, et ils ont bientôt dépassé les eaux mortelles. L'île où réside Utanapishtim est en vue. Gilgamesh dénoue sa ceinture et ôte ses vêtements qu'il accroche au mât pour en faire une voile.

De loin, Utanapishtim observe les manœuvres du bateau et s'interroge :

« Que sont donc devenus les Hommes de pierre ? Et qui se trouve à bord du bateau en compagnie d'Urshanabi ? J'ai beau le regarder, je ne le connais pas. »

L'embarcation accoste, et Gilgamesh saute sur le rivage.

– Qui es-tu, étranger ? Et que fais-tu sur ce bateau ? demande Utanapishtim.

– Je suis Gilgamesh, le souverain d'Uruk.

– Tes joues sont amaigries, ton visage abattu, ton cœur semble rongé par la tristesse. Pourquoi l'angoisse te serre-t-elle ainsi le ventre ? Tu as le visage buriné d'un voyageur qui a dû affronter la froidure des petits matins et les chaleurs du désert : as-tu vagabondé dans les steppes ?

– Comment mes joues ne seraient-elles pas amaigries, mon visage abattu ? Comment mon cœur ne serait-il pas rongé de tristesse ? Comment mon ventre ne serait-il pas dévoré par l'angoisse ? Comment aurais-je pu échapper à la froidure des vents et aux rayons du soleil, ayant erré tant et tant de jours dans les steppes ? Mon ami, gazelle du désert, onagre impétueux, panthère des steppes, mon ami Enkidu, celui avec qui j'ai combattu et vaincu le Taureau céleste, celui grâce à qui j'ai pu terrasser Humbaba le terrible, gardien de la Forêt des cèdres, celui qui m'a aidé à comprendre mes rêves, celui que j'aimais et qui, avec moi, avait franchi tous les obstacles, Enkidu, mon frère, s'en est allé. Le destin nous a séparés, et je l'ai pleuré des jours et des nuits, je l'ai tenu dans mes bras des jours et des nuits, jusqu'à ce que les vers lui sortent du nez. Alors la peur de la mort m'a saisi, et j'ai erré dans la steppe. Vais-je devenir, comme Enkidu, une argile qui s'effrite ? Est-ce là le sort qui m'attend, moi aussi ? Devrai-je, comme lui, me coucher pour ne jamais plus me relever ? Je me suis dit : « Tu dois trouver Utanapishtim le lointain, celui dont tout le monde parle. » J'ai donc traversé les steppes et les déserts, franchi les montagnes les plus inaccessibles, ainsi que la mer aux eaux mortelles. Je me suis épuisé à veiller et marcher encore et encore. Avant même d'arriver chez la nymphe Siduri, j'avais usé mes vêtements. J'ai tué des ours, des lions, des panthères, des tigres et des daims, je me suis nourri de leur chair, vêtu de leurs peaux… Rien ne saurait apaiser l'angoisse qui m'étreint.

Utanapishtim lui répond alors en ces termes :

– Gilgamesh, toi qui es à la fois homme et dieu, pourquoi te tourmenter ainsi ? Tu te comportes en fou. Les dieux ne t'ont-ils pas fait roi ? Sin et Shamash, le tout-puissant, se sont unis pour te protéger et t'éclairer, mais tu n'écoutes que ta folie. N'as-tu pas des sujets à gouverner et protéger ? N'as-tu pas une femme qui te donnera un prince ? N'y a-t-il pas, dans ta cité, des temples à entretenir et embellir pour honorer, comme il se doit, les dieux et les déesses ? Que n'as-tu utilisé toute cette énergie, gaspillée pour venir jusqu'ici, à veiller sur les tiens et honorer les dieux ! Le destin des hommes n'est pas d'être immortels : lorsque les dieux ont créé l'homme, ils lui ont donné la mort pour destin, se réservant la vie éternelle… Qu'as-tu gagné à t'épuiser dans ce périple qui t'a conduit jusqu'à moi ? Comme les roseaux dans le canier, l'homme doit être brisé. La mort emporte tout et tout le monde : le meilleur des hommes aussi bien que la meilleure des femmes. La mort cruelle, nul n'a jamais vu son visage et nul n'a entendu sa voix ! Indomptable, elle fauche aveuglément. Bâtissons-nous nos maisons pour toujours ? Nos femmes, nos amis, nos enfants nous retiennent-ils à jamais ? La haine s'entretient-elle indéfiniment ? Et les crues du fleuve sont-elles faites pour durer ? Comme la libellule emportée au fil du courant, ainsi vont ces visages qui longtemps se sont tournés vers le soleil et dont il ne reste bientôt plus rien. Nul ne saurait dessiner l'image de la mort, et pourtant, de toute éternité, l'homme est à sa merci. Depuis le jour immémorial où les dieux s'assemblèrent pour confier à Mah le soin d'arrêter le cours de la vie humaine, la mort nous est assignée, nous le savons, tel est notre destin. Les dieux nous mettent simplement dans l'ignorance du moment où elle surviendra.

TABLETTE XI

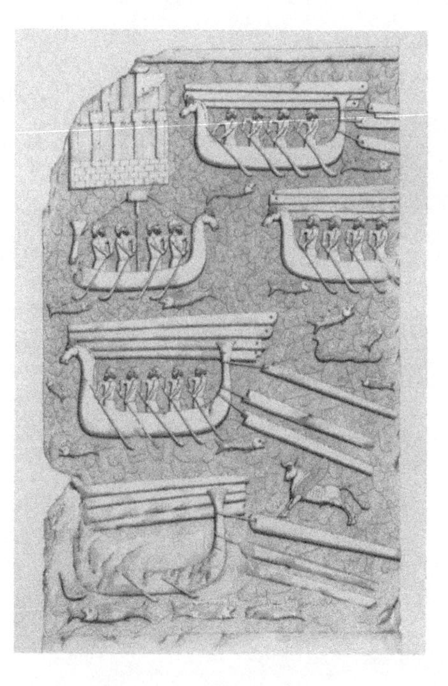

Gilgamesh prend la parole :

– Je te regarde Utanapishtim et je constate qu'en rien tu n'es différent de moi. Seulement, tu n'as plus besoin de te battre, tu te laisses aller au cours d'une vie insouciante. Dis-moi : comment, admis au conseil des dieux, as-tu obtenu la vie éternelle ?

– Écoute, répond Utanapishtim, ce que je vais te révéler, nul ne l'a jamais entendu avant toi : c'est un secret des dieux. Tu connais Surupak[1], la cité située sur les bords de l'Euphrate. C'est là que les dieux se sont réunis quand ils ont décidé de déclencher le Déluge. Anu, le père de tous les dieux, Enlil, le vaillant, Ninurta*, le dieu de la Guerre, Ennugi*, le maître des eaux, et le noble Éa prirent cette décision en grand secret. Ce fut pour ne pas trahir ce secret qu'Éa vint s'adresser non à moi, mais aux murs de ma maison :

« – Ô vous, murs de cette maison, retenez ceci : qu'Utanapishtim, roi de Surupak, démonte les murs de sa demeure pour en faire un bateau !

1. L'une des plus anciennes cités de Mésopotamie, située à soixante-dix kilomètres au sud-est de Babylone. La Liste sumérienne des rois montre que la dernière dynastie de rois antédiluvienne (c'est-à-dire : d'avant le Déluge) régnait à Surupak. (*N.d.T.*)

Qu'il renonce à ses biens, à ses terres, ainsi pourra-t-il sauver sa vie. Qu'il embarque avec lui des spécimens de tous les êtres vivants. Que le vaisseau soit aussi large que long, qu'il soit recouvert d'un toit dont la hauteur, la longueur et la largeur auront les mêmes dimensions.

«Je compris tout de suite et dis au seigneur Éa :

«– Je vais exécuter vos ordres, monseigneur, mais que dire aux anciens, au peuple, à la ville ?

«– Tu leur diras ceci, m'assura Éa : "Enlil s'est mis à me détester, il m'est donc impossible de demeurer à Surupak, qui est sa terre : je vais rejoindre les eaux souterraines sur lesquelles règne le divin Éa. Alors Enlil fera pleuvoir sur vous ses dons : des oiseaux en abondance et du poisson plein vos nasses, vous serez comblés d'amples moissons, l'aurore versera sur vous une profusion de petits pains, et le crépuscule vous fera cadeau d'une averse de froment."

«Lorsque brillèrent les premières lueurs de l'aube, tout le pays s'assembla derrière moi : les charpentiers, leurs haches à la main, et les artisans qui réparent le métal avec leurs maillets de pierre. Les plus riches fournirent le bitume, les plus pauvres de petits équipements. En cinq jours, l'armature du bateau fut montée. Il faisait trois mille six cents mètres carrés de superficie, et chacun de ses flancs atteignait soixante mètres de hauteur ; d'un côté à l'autre, chaque bord mesurait également soixante mètres. J'aménageai alors l'intérieur du bateau : je décidai qu'il y aurait six entreponts, organisant ainsi l'espace en sept étages, chacun des étages serait ensuite divisé en neuf compartiments.

« On enfonça dans les flancs du bateau des chevilles qui résisteraient à l'eau, je prévis les perches et le matériel dont nous aurions besoin pour la navigation. Il fallut jeter aux fourneaux dix mille huit cents litres d'asphalte pour faire autant de bitume. Le nocher en mit une grande quantité de côté pour assurer le calfatage qui se révélerait nécessaire lorsque les flancs de l'embarcation prendraient l'eau.

« Je fis abattre quantité de bœufs, égorger quantité de moutons, pour assurer la nourriture des artisans. L'eau, la bière, l'huile et le vin coulèrent comme les flots de la rivière. Quand le bateau fut achevé, on fit une fête aussi fastueuse que celle de l'Akitu[1]. Au soir du septième jour, le bateau était prêt. Le mettre à l'eau fut une entreprise difficile : on apporta quantité de rondins de bois pour le faire rouler jusqu'au fleuve. Lorsqu'il fut immergé aux deux tiers, je fis porter à l'intérieur tout ce que je possédais : tout mon argent, tout mon or, tous mes animaux domestiques. Je fis aussi embarquer ma famille, mes valets, ainsi que des artisans de tous les corps de métier ; et tous les animaux sauvages, je les y fis monter également.

1. Voir note 1, p. 22. (*N.d.E.*)

«Shamash l'avait annoncé: "Quand je ferai pleuvoir des petits pains à l'aurore et que, au crépuscule, se déverseront des averses de froment, entre dans le bateau et bouche les écoutilles."

«Vint alors le moment fatidique. L'aube répandit des petits pains et le soir du froment. Je regardai le ciel: il était effrayant à voir. J'entrai dans le bateau et fis obturer les écoutilles.

«Quand parurent les premières lueurs de l'aube, de sombres nuées envahirent le ciel. Les grondements d'Adad retentirent. Shullat et Hanish[1], en avant-coureurs divins, sillonnaient les collines et les vallées, Nergal* ouvrit alors les vannes célestes, Ninurta fit déborder les barrages, et les démons infernaux, torches à la main, incendièrent tout le pays. Puis ce fut le lourd silence d'Adad qui s'imposa dans les nuées. Le jour devint ténèbres, la terre fut ébranlée dans ses fondements mêmes. L'ouragan déchaîné, le déferlement des eaux impétueuses du Déluge s'abattirent sur les hommes qui, vus du ciel, n'étaient plus qu'une informe multitude.

«Les dieux eux-mêmes s'épouvantèrent du Déluge et s'enfuirent, gagnant les hautes sphères où, d'ordinaire, Anu règne seul. Ils s'y blottirent comme des chiens. Mah criait, pareille à une femme dans les douleurs de l'enfantement: "Oh! que ce jour funeste n'ait jamais existé! Que

1. Divinités secondaires annonçant l'orage. (*N.d.T.*)

ne me suis-je opposée à ce fléau ! Comment ai-je pu approuver un tel carnage ? N'ai-je donc mis tous ces gens au monde que pour remplir les nasses de la mort ?"

« Et les dieux pleurèrent avec elle et même les démons de l'Enfer se lamentèrent. Enfiévrés, lèvres brûlantes, désespérés, en larmes : ainsi demeuraient les dieux dans le cercle d'Éa.

« Pendant six jours et sept nuits, trombes et bourrasques, orages, ouragans et déluge ravagèrent la terre. Au septième jour, la pluie cessa, les vents tombèrent. Tempête, déluge, hécatombe avaient distribué leurs coups au hasard, comme une femme prise dans les douleurs. Maintenant le calme régnait. Toutes les créatures vivantes n'étaient plus qu'argile.

« J'observai la mer, on aurait dit un gigantesque marais, inerte et plat comme une terrasse en toiture.

« J'ouvris une lucarne, un rayon de soleil me réchauffa le visage. Je tombai à genoux et pleurai, les larmes se mirent à ruisseler sur mes joues. Je cherchai du regard un rivage, mais, de tous côtés, il n'y avait que l'océan. Alors je vis, à quelques centaines de mètres, une langue de terre qui émergeait. Il s'agissait du mont Nisir[1], où le bateau finit par échouer. Pendant six jours, il resta là, et, au septième, je libérai une colombe qui

1. Le mont Omar-Gudrun, dans le Kurdistan actuel. (*N.d.T.*)

s'élança dans les airs. Ne trouvant aucun endroit où se poser, elle fit demi-tour et revint. Je fis de même avec une hirondelle, qui revint à son tour. Je libérai alors un corbeau, il s'élança dans les airs et, voyant les eaux se retirer, il mangea, croassa, s'ébattit et ne revint pas. Je fis alors sortir hommes et bêtes qui s'éparpillèrent en tous sens.

« J'offris ensuite un sacrifice aux dieux : je fis emplir sept vases de liqueurs bénies et, dans un brûle-parfum, je plaçai des roseaux aromatiques, du cèdre et du myrte. Comme des mouches, les dieux, attirés par les parfums, se rassemblèrent autour du banquet.

« Mah brandit le collier de mouches d'or et de lazulite dont Anu lui avait fait cadeau du temps de leurs amours.

« – Ô dieux ici présents ! s'écria-t-elle solennellement. Je fais serment, sur les pierres de mon collier, de ne jamais oublier ces jours funestes qui ont voué à l'anéantissement toutes mes créatures. Ô dieux, vous pouvez prendre part à ce repas, mais Enlil, lui, ne le devrait pas. Ce Déluge, c'est lui qui l'a décidé de façon inconsidérée. Il a détruit l'humanité.

« Enlil, cependant, arrivait et, lorsqu'il vit le bateau, il entra dans une grande fureur et laissa éclater sa colère contre les dieux.

« – Ainsi, tonna-t-il, quelqu'un a eu la vie sauve ! Ce carnage ne devait pourtant laisser aucun survivant.

« Ninurta s'adressa alors au vaillant Enlil :

« – Qui donc, sinon le grand Éa, pour qui tout est possible, aurait pu autoriser pareille chose ?

« Éa prit à son tour la parole :

« – Enlil, tu es le plus vaillant d'entre nous, mais ta décision fut inconséquente. Des lions auraient pu exterminer les hommes, des loups auraient pu les décimer, la disette pouvait affaiblir le pays, une épidémie aurait pu le dépeupler. Tout aurait été préférable à ce Déluge ! Quant au secret des dieux, je ne l'ai pas trahi : j'ai laissé le plus sage des hommes l'entrevoir en songe. Maintenant, vous pouvez décider de son destin.

« Alors Enlil me prit par la main pour me faire monter dans le bateau, il fit s'agenouiller ma femme à mes côtés.

« Se tenant entre nous, il nous toucha le front et nous bénit :

« – Utanapishtim, dit-il, tu n'étais jusqu'à présent qu'un humain ; désormais, ta femme et toi serez pareils à nous, les dieux, mais vous demeurerez au loin, à l'embouchure des fleuves.

« Alors, Gilgamesh, conclut Utanapishtim, qui, à présent, réunira pour toi les dieux afin que, comme moi, tu accèdes à cette vie sans fin que tu désires tant ? Tente seulement de ne pas dormir durant six jours et sept nuits. »

Mais Gilgamesh s'est à peine assis que, telle une brume, le sommeil s'empare de lui.

Utanapishtim dit alors à sa femme :

– Regarde-le, cet homme qui désire la vie éternelle : telle une brume, le sommeil l'a saisi.

– Utanapishtim, répond-elle, secoue cet homme : qu'il se réveille et regagne son pays, le cœur en paix.

– Les hommes sont fourbes : celui-ci, comme les autres, cherchera à te tromper. Prépare-lui sa ration quotidienne de pain, dépose-la à côté de lui et inscris sur le mur le nombre de jours pendant lesquels il dormira.

Elle fait cuire le pain et, jour après jour, le dépose au chevet de Gilgamesh.

Quand celui-ci s'éveille, le septième jour, il peut constater que la première portion de pain est desséchée, la deuxième moisie, la troisième humide, la quatrième couverte d'une croûte blanchâtre, la cinquième parsemée de taches grises, la sixième rassise. Seule la septième est fraîche.

– Que faire ? demande Gilgamesh à Utanapishtim le lointain. Où aller ? La mort s'est emparée de moi, elle s'est installée dans ma chambre à coucher, elle est devenue ma maîtresse. Quoi que je fasse, où que j'aille, elle m'attend en embuscade.

Utanapishtim s'adresse alors en ces termes au nocher Urshanabi :

– Urshanabi, cet embarcadère, cette passe te haïssent. Toi qui ne cessais d'aller et venir entre ces rives, tu devras y renoncer. L'homme que tu as conduit ici est couvert de saleté, ses cheveux sont emmêlés, ses hardes cachent sa beauté. Conduis-le au bain ! Qu'il se lave les cheveux ! Qu'il jette à la mer cette peau de bête. Une fois baigné, rafraîchi, qu'il se ceigne la tête d'un bandeau neuf et revête une tunique éclatante. Que ses vêtements gardent leur fraîcheur et leur éclat jusqu'à ce qu'il ait atteint les portes de sa cité et achevé son voyage.

Urshanabi conduit Gilgamesh au lavoir. Le souverain d'Uruk se lave à grande eau, il se défait de la saleté qui souille son corps, démêle sa chevelure et jette sa peau de bête à la mer. Il orne sa tête d'un bandeau neuf et revêt une tunique éclatante pour regagner sa cité dans une tenue digne de lui. Avec Urshanabi, il met le bateau à l'eau, et ils embarquent.

L'esquif est prêt à partir quand l'épouse d'Utanapishtim s'adresse à son mari :

– Gilgamesh a beaucoup peiné pour venir jusqu'ici. Il lui a fallu faire un long voyage. Que lui donneras-tu pour qu'il ne rentre pas dans son pays les mains vides ?

Gilgamesh immobilise l'embarcation à proximité du rivage.

– Il est vrai, dit Utanapishtim, que tu as souffert et fait un long voyage pour parvenir ici. Je vais donc te donner quelque chose qui te permettra de rentrer chez toi le cœur comblé. Je vais te révéler un secret que seuls les dieux connaissent : il existe une plante dont les épines, pareilles à celles de la rose, écorcheront tes mains, mais, si tu parviens à t'en emparer, tu auras trouvé de quoi prolonger la vie.

L'ayant entendu, Gilgamesh revient sur le rivage afin de déterrer de lourdes pierres dont il va se lester pour se laisser entraîner au fond de la mer. Là, il trouve la plante et s'en empare, malgré les blessures qu'elle inflige à ses mains. S'étant délivré des pierres qui le maintiennent sous l'eau, il remonte à la surface et rejoint Urshanabi.

– Regarde cette plante, Urshanabi, dit-il au nocher, elle guérit de la peur de mourir : grâce à elle, l'homme recouvre santé et joie de vivre. Je vais l'emporter jusqu'à Uruk. J'en donnerai à un vieillard pour tester son efficacité car cette plante s'appelle « le vieillard rajeuni ». Puis j'en mangerai moi-même et retrouverai ma jeunesse.

Ils font deux cents kilomètres et se restaurent, ils en font trois cents de plus et s'arrêtent pour bivouaquer près d'une source d'eau fraîche[1]. Gilgamesh se baigne. Pendant ce temps, un serpent, ayant senti le parfum de la plante, sort silencieusement de la terre et s'en empare. Aussitôt, il

1. On pourra s'étonner qu'étant arrivé par bateau chez Utanapishtim, Gilgamesh en reparte manifestement par voie de terre : n'oublions pas que le récit propose davantage un parcours symbolique qu'un itinéraire réaliste. (Si l'on veut redonner une logique à ce périple, il faut convenir que Gilgamesh a peut-être simplement franchi une mer intérieure ou un golfe.) (*N.d.T.*)

abandonne derrière lui sa vieille enveloppe d'écailles et disparaît. Alors Gilgamesh s'assoit et pleure. Tandis que les larmes ruissellent sur son visage, il saisit les mains d'Urshanabi et lui dit :

– Hélas ! Pour qui mes bras ont-ils épuisé leur vigueur ? Pour qui mon cœur a-t-il, en vain, brassé mon sang ? Je ne me suis pas fait de bien, c'est au serpent que j'en ai fait. L'endroit où j'ai trouvé la plante est désormais trop lointain, et je ne saurais le retrouver.

Ils parcourent encore deux cents kilomètres et se restaurent, puis ils repartent pour couvrir les trois cents kilomètres qui les séparent d'Uruk. Une fois au pied des remparts de la cité, Gilgamesh dit à Urshanabi :

– Monte, Urshanabi, viens te promener sur les murailles, à mes côtés. Vois ces murs, estime leurs fondations. Vois ces trois cents hectares de ville, et cette étendue de jardins, regarde les terres vierges du temple d'Ishtar. Ta vue embrasse avec peine ma cité, la cité d'Uruk !

TABLETTE XII[1]

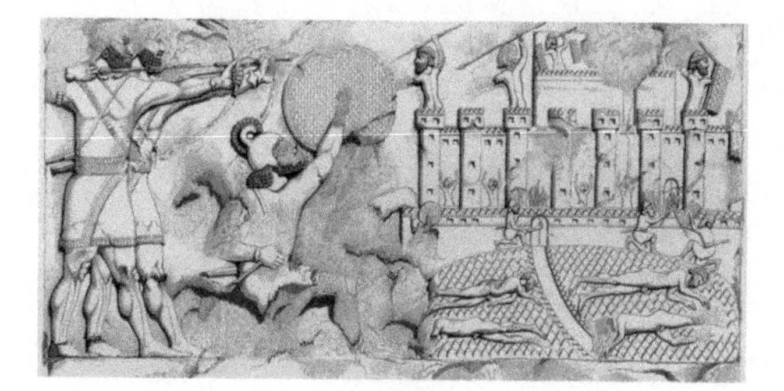

1. La douzième tablette, découverte avec les autres sur le site du palais d'Assurbanipal, à Ninive, provient, selon l'assyriologue Jean Bottéro, d'un ajout que l'on peut imputer à un scribe du VIIe siècle av. J.-C. Le récit développé dans cette tablette constitue une évidente rupture avec ce qui précède et reprend une vieille légende sumérienne qui évoquait la descente d'Enkidu aux Enfers. Les raisons qui ont poussé le scribe à effectuer cet ajout demeurent mystérieuses. (*N.d.T.*)

Gilgamesh se lamente sur la perte de deux talismans qui lui ont échappé :

– Pourquoi n'ai-je pas laissé ma baguette chez le menuisier ? Sa femme me l'aurait gardée comme l'aurait fait ma propre mère. Mais la voilà tombée en Enfer, de même que mon cerceau[1] ! Ô perte irréparable !

C'est alors qu'Enkidu intervient :

– Monseigneur, ce chagrin et ces larmes ne sont pas de saison : aujourd'hui même, je descendrai en Enfer récupérer la baguette et le cerceau.

– Enkidu, si tu veux descendre en Enfer, sois attentif à mes recommandations : tu ne porteras pas de vêtements propres, ils te trahiraient, montrant à tous que tu n'es pas de leur monde ; tu ne te parfumeras pas, les morts s'assembleraient autour de toi ; tu ne lanceras pas le javelot, tu serais encerclé par ceux qu'il atteindrait ; tu ne brandiras pas la massue, tu jetterais le trouble parmi les fantômes ; tu veilleras à marcher pieds nus car il faut respecter le silence des morts.

1. Le sens des deux mots *pukku* et *mikku*, qui désignent ces talismans, reste obscur pour les spécialistes ; ils désigneraient un jeu d'enfant, à valeur symbolique : baguette et cerceau, ou maillet et boule, comme au croquet. (*N.d.T.*)

Ignore ta défunte épouse et les mânes de ton enfant, tu lèverais l'Enfer contre toi et, furieuse, Ereshkigal jetterait son châle à terre.

Mais Enkidu ne tient pas compte des conseils de son maître.

Il met des vêtements propres, et on le devine étranger. Il se parfume, et les morts s'assemblent autour de lui. Il lance le javelot et est entouré par ceux qu'il a atteints. Il brandit une massue, et les fantômes s'enfuient, épouvantés. Il chausse ses sandales et fait du bruit. Il embrasse sa défunte femme et cherche à étreindre les mânes de son enfant.

Ereshkigal, furieuse, jette son châle à terre : l'Enfer se saisit d'Enkidu, de sorte qu'il lui est impossible de regagner le monde d'en haut. Ce n'est pas la maladie qui l'emporte, ce n'est pas Namtar*, c'est l'Enfer qui le prend. Ce n'est pas au combat qu'il périt, c'est l'Enfer qui le prend.

Alors Gilgamesh, fils de la bienheureuse Ninsuna, pleure son serviteur. Il se rend au temple d'Enlil et dit :

– Ô vénérable Enlil, aujourd'hui j'ai perdu ma baguette et mon cerceau : ils sont tombés en Enfer, et Enkidu est parti les chercher. Ce ne sont ni la maladie, ni l'épidémie, ni le combat qui l'ont pris, c'est l'Enfer.

Mais le vénérable Enlil ne répond rien, et Gilgamesh s'en retourne, solitaire. Alors il va prier le vénérable Sin et lui dit :

– Ô vénérable Sin, aujourd'hui, j'ai perdu ma baguette et mon cerceau : ils sont tombés en Enfer, et Enkidu est parti les chercher. Ce ne sont ni la maladie, ni l'épidémie, ni le combat qui l'ont pris, c'est l'Enfer.

Mais le vénérable Sin ne répond rien, et Gilgamesh s'en retourne, solitaire. Alors il va prier Éa :

– Ô vénérable Éa, aujourd'hui j'ai perdu ma baguette et mon cerceau : ils sont tombés en Enfer, et Enkidu est parti les chercher. Ce ne sont ni la maladie, ni l'épidémie, ni le combat qui l'ont pris, c'est l'Enfer.

Éa a pitié de lui et lui fait savoir qu'il s'adressera à Nergal.

– Vaillant Nergal, ouvre le soupirail de l'Enfer afin que l'esprit d'Enkidu en sorte un moment et décrive ce qu'il y a vu à son frère Gilgamesh !

Le vaillant Nergal obéit à Éa : il ouvre le soupirail, et l'âme d'Enkidu sort de l'Enfer comme un souffle d'air.

Les deux amis tombent dans les bras l'un de l'autre et s'étreignent un long moment.

– Enkidu, dit Gilgamesh, rapporte-moi les coutumes de l'Enfer, dis-moi ce que tu y as vu.

– Je préfère ne rien te dire, répond Enkidu, car tu aurais bien vite les larmes aux yeux.

– Eh bien, soit ! Je pleurerai.

– Mon corps est rongé comme un vieux chiffon par les vers, il est plein de poussière, comme le creux d'une ornière.

Gilgamesh, les yeux remplis de larmes, presse son ami de questions :

– L'homme qui n'a eu qu'un seul fils, est-ce que tu l'as vu ?

– Oui je l'ai vu : il pleure face à un pieu fiché dans la paroi.

– Et l'homme qui a eu deux fils, tu l'as vu ?

– Oui, je l'ai vu : il mange, assis sur deux pierres.

– Et l'homme qui a eu trois fils, tu l'as vu ?

– Oui, je l'ai vu : il boit l'eau tiède des outres qu'on emporte au désert.

– Et l'homme qui a eu quatre fils, tu l'as vu ?

– Oui, je l'ai vu : il est heureux comme celui qui possède un attelage de quatre ânes.

– Et l'homme qui a eu cinq fils, tu l'as vu ?

– Oui, je l'ai vu : tel le bon scribe qui ne manque pas de travail, il va et vient à son gré au palais.

– Et l'homme qui a eu six fils, tu l'as vu ?

– Oui, je l'ai vu : il est aussi heureux que le paysan qui jouit des bienfaits de sa terre.

– Et l'homme qui a eu sept fils, tu l'as vu ?

– Oui, je l'ai vu : assis en compagnie des dieux, il écoute de la musique.

– Et l'homme qui n'a pas eu d'héritiers, tu l'as vu ?

– Oui, je l'ai vu : comme un homme au dos rompu par le bâton, il mange un pain amer.

– Et le courtisan qui hantait le palais, tu l'as vu ?

– Oui, je l'ai vu : il est assis, oublié dans un recoin de la maison.

– Et la femme qui n'a jamais eu d'enfants, tu l'as vue ?

– Oui, je l'ai vue : elle gît à terre, comme un vase dont on se serait débarrassé. Aucun homme ne s'intéresse à elle.

– Et le garçon qui n'a jamais connu l'amour, tu l'as vu ?

– Oui, je l'ai vu : on lui tend une corde pour le secourir, mais il se contente de la baigner de ses larmes.

– Et la fille qui n'a jamais connu l'amour, tu l'as vue ?

– Oui, je l'ai vue : on lui tend un roseau pour l'aider, mais elle se contente de le baigner de ses larmes.

– Et celui qui a été victime du lion, tu l'as vu ?

– Oui, je l'ai vu : il se lamente sur ses membres dévorés.

– Et le guerrier mort au combat, tu l'as vu ?

– Oui, je l'ai vu : ses parents lui rendent hommage, et son épouse le pleure.

– Et l'homme tombé d'un navire, tu l'as vu ?

– Oui, je l'ai vu : il appelle sa mère au secours dès qu'un navire largue les amarres.

– Et l'homme victime d'une mort subite, tu l'as vu ?

– Oui, je l'ai vu : sur son lit, il repose, et on lui donne à boire de l'eau fraîche.

– Et l'enfant mort-né, tu l'as vu ?

– Oui, je l'ai vu : il joue à une table d'or et d'argent, et les dieux lui accordent du beurre et du miel en abondance.

– Et l'homme qui a péri par le feu, tu l'as vu ?

– Non, je ne l'ai pas vu, car son esprit n'est pas en Enfer, il n'est plus que fumée dans le ciel.

– Et l'homme dont le cadavre est resté sans sépulture dans le désert ?

– Je l'ai entendu : son fantôme frappe vainement à la porte des Enfers car l'homme sans sépulture jamais ne trouve le repos.

LA DESCENTE D'ISHTAR AUX ENFERS

Ishtar, la fille de Sin, dirigea un jour ses pensées vers la terre sans retour. Oui, la fille de Sin s'intéressa au domaine des ténèbres, à la demeure d'Ereshkigal, d'où nul ne revient.

Elle prit le chemin sans retour et conduisit ses pas vers la maison de ceux qui, privés de lumière à tout jamais, ne subsistent que d'humus et de poussière. Comme les oiseaux, ils sont couverts d'un habit de plumes. En leur demeure, partout s'amoncelle la poussière, recouvrant portes et verrous.

Lorsque la déesse eut atteint l'entrée de la terre sans retour, elle s'adressa au portier :

– Portier, ouvre-moi, que je puisse entrer ! Si tu n'ouvres pas, j'enfoncerai la porte, j'en briserai les serrures, j'ébranlerai le châssis, je culbuterai les vantaux. Je redonnerai vie aux morts, les morts dévoreront les vivants, et les morts seront en plus grand nombre que les vivants.

Le portier, effrayé, lui dit alors :

– Cesse, déesse, n'enfonce pas la porte : je veux aller donner ton nom à la reine Ereshkigal.

Le portier courut donc avertir la souveraine du royaume d'en bas, qui, entendant la nouvelle, devint aussi blême qu'un tamaris coupé, tandis que ses lèvres prenaient la couleur de l'ébène.

– Pour quelle raison, dit-elle, son cœur la conduit-il jusqu'à moi ? Veut-elle qu'en guise de nourriture je mange de l'humus ? Et qu'à la place de vin, je boive une eau souillée ? Veut-elle que je pleure sur les maris privés de leurs épouses ou sur les femmes que leurs maris ont quittées ? Veut-elle que je pleure l'enfant enlevé aux siens avant son temps ? Va, dit-elle au portier, ouvre-lui et fais-lui subir les rites antiques. Qu'elle franchisse les sept portes et se dépouille de tous ses atours.

Il fut fait comme le souhaitait la souveraine des Enfers. Le portier ouvrit à Ishtar et lui dit :

– Entre, déesse, et que les adorateurs d'Ereshkigal se réjouissent !

À la première porte, toute grande ouverte, il délesta Ishtar de sa couronne splendide.

– Portier, dit-elle, pourquoi m'enlèves-tu la resplendissante couronne qui ornait ma tête ?

– Entre, noble déesse, répondit le portier, ainsi l'exigent les lois du monde souterrain.

À la deuxième porte, toute grande ouverte, il lui ôta ses magnifiques boucles d'oreilles en or.

– Portier, dit-elle, pourquoi m'enlèves-tu mes splendides boucles d'oreilles ?

– Entre, noble déesse, répondit le portier, ainsi l'exigent les lois du monde souterrain.

À la troisième porte, toute grande ouverte, il priva Ishtar de son sublime collier de perles.

– Portier, dit-elle, pourquoi m'enlèves-tu mon sublime collier ?

– Entre, noble déesse, répondit le portier, ainsi l'exigent les lois du monde souterrain.

À la quatrième porte, toute grande ouverte, il défit la déesse de son couvre-sein fait de métaux précieux.

– Portier, dit-elle, pourquoi m'enlèves-tu mon précieux couvre-sein ?

– Entre, noble déesse, répondit le portier, ainsi l'exigent les lois du monde souterrain.

À la cinquième porte, toute grande ouverte, il lui enleva sa ceinture de pierres précieuses.

– Portier, dit-elle, pourquoi m'enlèves-tu ma riche ceinture ?

– Entre, noble déesse, répondit le portier, ainsi l'exigent les lois du monde souterrain.

À la sixième porte, il lui fit déposer les bracelets qui ornaient ses bras et ses chevilles.

– Portier, dit-elle, pourquoi me délestes-tu de mes bracelets ?

– Entre, noble déesse, répondit le portier, ainsi l'exigent les lois du monde souterrain.

À la septième porte, enfin, il lui ôta la tunique qui préservait sa pudeur.

– Portier, dit-elle, pourquoi m'enlèves-tu le vêtement qui préserve ma pudeur ?

– Entre, noble déesse, répondit le portier, ainsi l'exigent les lois du monde souterrain.

Ainsi le portier fit-il comparaître Ishtar nue devant sa sœur, la redoutable maîtresse du royaume des ténèbres.

– Que fais-tu là ainsi dévêtue, telle une vulgaire mortelle ? tonna la terrible déesse. Puisque tu as voulu la mort, tu obtiendras la mort.

Et Ereshkigal appela Namtar, le plus fidèle de ses démons.

– Namtar, lui dit-elle, déchaîne contre ma sœur, que voilà, les soixante maladies : que ses yeux, ses bras, ses pieds, son cœur et tous ses organes soient attaqués.

Immédiatement, Ishtar, la resplendissante fille de Sin, devint livide et succomba aux douleurs que lui infligeait Namtar.

Mais, cependant qu'Ishtar demeurait au pays d'où nul ne revient, la vie sur la terre s'était arrêtée. Le taureau ne montait plus la vache, et l'âne ne parcourait plus les prés pour s'accoupler avec l'ânesse. Les hommes demeuraient seuls dans leurs chambres et ne cherchaient plus la compagnie des femmes.

La consternation envahit les cieux : Mah, la Grande Déesse elle-même, se mit à pleurer et le dieu Shamash, en larmes, s'en alla trouver son père, Sin le sublime, pour lui faire part de sa tristesse. Sin était au désespoir. Le puissant Shamash se rendit alors auprès d'Éa, le tout-puissant.

– Notre sœur, Ishtar la sublime, est descendue aux Enfers. Et depuis le moment où elle est entrée dans le pays d'où nul ne revient, le taureau ne monte plus la vache, et l'âne ne parcourt plus les prés pour s'accoupler avec l'ânesse. Les hommes demeurent seuls dans leurs chambres et ne s'unissent plus aux filles joyeuses.

Éa, dans sa grande sagesse, conçut alors un plan. Il créa un homme d'une grande beauté, Atsushunamir, l'efféminé, puis il lui dit :

– Va, Atsushunamir, rends-toi aux portes du pays d'où nul ne revient. Présente-toi au portier afin que les sept portes s'ouvrent en grand devant toi ! Quand la sombre Ereshkigal te verra, son esprit en concevra de la joie et son cœur trouvera la paix. Tu prétexteras la soif pour lui demander une outre d'eau. Trouve alors Ishtar la divine, asperge-la de cette eau, et elle reviendra à la vie.

Atsushunamir fit comme le grand Éa lui avait commandé, et la sombre déesse Ereshkigal fut d'abord fascinée par la beauté du jeune homme.

– Ô déesse, fit-il alors, la soif me tient : peux-tu me faire porter une outre d'eau afin que je me désaltère ?

Entendant ces paroles, Ereshkigal entra dans une grande colère. Elle se frappa la cuisse, se mordit le doigt et dit :

– Quoi ! Tu veux boire ! Tu désires de moi ce que nul ne doit désirer. Voici donc quel sera ton sort : tu n'auras désormais pour nourriture que le pain récolté dans les ornières de la cité ! Et tu n'auras, pour soulager ta soif, que l'eau des égouts de la ville. Tu te tiendras dans l'ombre des murs et tu n'auras pour siège que la rude pierre d'un seuil de maison. Que l'ivrogne et l'assoiffé te giflent ! Que…

Mais, alors qu'elle maudissait la créature du divin Éa, la maîtresse des Enfers entendit le remords frapper aux portes de son cœur : la merveilleuse Ishtar, sa propre sœur, gisait là, sans vie. Dans un élan de compassion, elle fit venir Namtar, son intendant, et lui ordonna :

– Va, Namtar, frappe aux portes du palais des jugements. Franchis-en le seuil de pierres précieuses. Fais sortir les Annunaki*. Qu'ils s'assoient sur leurs trônes d'or, qu'ils versent sur la déesse Ishtar les eaux de la vie et qu'on la conduise hors de ma présence.

Il fut fait comme l'avait ordonné la déesse. Namtar se rendit au palais des jugements et réunit les Annunaki qui, siégeant sur leurs trônes d'or, répandirent sur la déesse Ishtar les eaux de la vie.

Elle fut ensuite reconduite à la septième porte, où le portier lui rendit le vêtement qui préservait sa pudeur. À la sixième, il lui redonna les bracelets qui ornaient ses chevilles et ses bras. À la cinquième, il lui remit sa ceinture de pierres précieuses. À la quatrième, il la revêtit du couvre-sein. À la troisième, il lui restitua le sublime collier de perles qui soulignait sa beauté. À la deuxième, Ishtar recouvra ses magnifiques boucles d'oreilles en or. À la première porte, enfin, Ishtar reçut du portier sa couronne merveilleuse.

Splendide, elle parut sur terre, et la vie reprit son cours : le taureau monta à nouveau la vache, l'âne courut après l'ânesse, et l'homme ne demeura plus seul dans sa chambre.

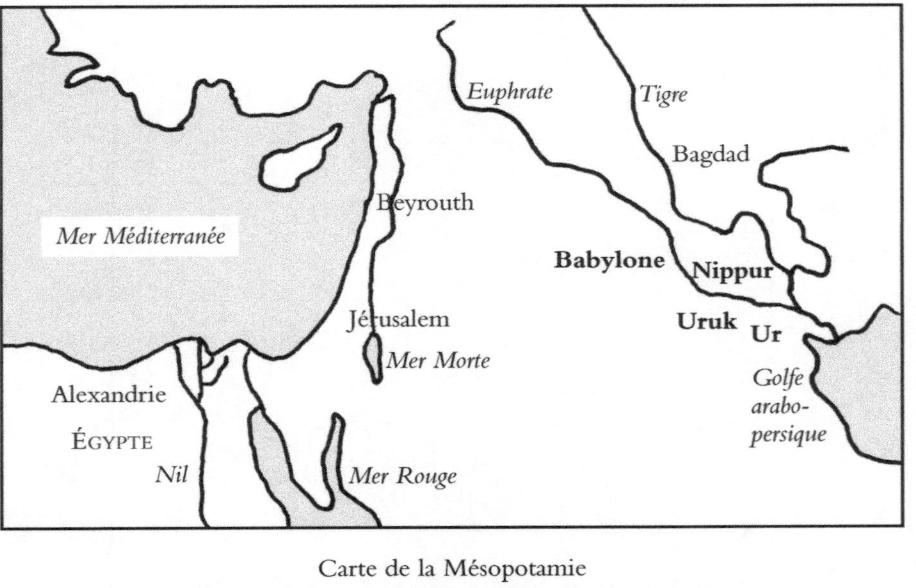

Carte de la Mésopotamie
(les noms des cités antiques sont indiqués en gras)

POUR EN SAVOIR PLUS

La Mésopotamie

Les historiens s'accordent pour faire coïncider la naissance de l'histoire avec celle de l'écriture. Or cet événement capital eut lieu en Mésopotamie vers l'an 3000 avant notre ère. « Mésopotamie » est un terme d'origine grecque qui, littéralement, signifie « pays entre les fleuves » : il fait référence aux actuels territoires de l'Irak et du sud-ouest de l'Iran.

Vers 3000 avant Jésus-Christ, donc, deux peuples ont appris à cohabiter dans cette région pour former une civilisation originale : les Sumériens et les Akkadiens. Les Sumériens occupent le sud du pays, leur origine demeure mystérieuse, et leur langue est très différente de celles des autres peuples. Les Akkadiens, quant à eux, sont un peuple sémite venu du nord-ouest.

Il semble que l'on doive l'invention de l'écriture aux Sumériens puisque, jusqu'à la fin du IIIe millénaire avant Jésus-Christ, c'est leur langue qui sera utilisée non seulement dans les actes administratifs et religieux, mais aussi dans la littérature. En revanche, l'akkadien, plus simple, va s'imposer comme langue courante et peu à peu supplanter la langue sumérienne. Il n'empêche que cette dernière restera longtemps la langue des clercs et des lettrés, un peu comme le fut le latin, en France, au Moyen Âge.

CHRONOLOGIE

– Première moitié du IVe millénaire av. J.-C. : Sumériens et Akkadiens unissent leurs forces pour donner naissance aux premières villes, les « cités-États » dans le sud de la Mésopotamie. Cet essor de la civilisation est probablement dû aux nécessités engendrées par la technique de l'irrigation (création de voies d'eau artificielles).

– Vers 3000 av. J.-C. : naissance de l'écriture cunéiforme (ainsi nommée parce que ses caractères ont la forme de coins et de clous).

– Vers 2650 av. J.-C. : règne de Gilgamesh, souverain de la cité-État d'Uruk.

– 2300-2000 av. J.-C. : Sargon le Grand édifie le premier Empire sémitique. C'est à cette époque que sont consignés par écrit les premiers récits de la légende de Gilgamesh. Une longue période d'anarchie fait suite à la chute de l'empire.

– 1750-1600 av. J.-C. : Hammurabi, souverain de Babylone, construit un empire réunissant l'Assyrie au nord et la Babylonie (au sud). Une version ancienne de la légende de Gilgamesh s'y diffuse.

– 1600-1000 av. J.-C. : l'empire tombe sous la domination des Cassites, un peuple semi-nomade. À partir de 1300 av. J.-C., un royaume indépendant se crée en Assyrie et, vers 1100 av. J.-C., la Babylonie libérée renaît. Assyrie et Babylonie se disputent la préséance, mais l'influence culturelle de la Babylonie est déterminante. La légende de Gilgamesh se répand chez les peuples voisins.

– Vers l'an 1000 av. J.-C. : domination politique de l'Assyrie. La légende de Gilgamesh est consignée sur onze tablettes : cette transcription serait due au scribe exorciste Sinleqe'unenni.

Qui était Gilgamesh ?

À l'inverse du conte ou du mythe, la *légende* est un récit qui prend appui sur un événement ou une figure historique. Gilgamesh apparaît bien, à ce titre, comme une figure légendaire, puisque son nom figure sur une liste de rois datée du IIe millénaire avant Jésus-Christ. Sur cette liste sont énumérés les noms des rois ayant régné avant le Déluge : ce sont des personnages mythiques dont les règnes s'étendent sur des durées invraisemblables. Puis viennent les noms de ceux qui ont régné après : Gilgamesh, notre héros, y figure en tant que souverain d'Uruk, en cinquième position, juste après Lugalbanda, dont l'épopée fait le père de Gilgamesh. La liste des rois accole, en outre, au nom de Gilgamesh une étoile qui attire l'attention sur le caractère divin du personnage, ce que l'épopée n'a de cesse de confirmer.

Si l'on en croit cette liste, le Gilgamesh historique aurait régné autour de 2650 avant Jésus-Christ. Il est sans doute l'auteur d'exploits qui l'ont rendu digne de figurer dans la mémoire collective. Il est probable, par exemple, que l'expédition contre Humbaba soit à relier aux razzias qu'on effectuait alors contre les peuples du nord-ouest. Les régions du sud de la Mésopotamie manquant cruellement de bois, il fallait organiser des expéditions pour s'en procurer dans les régions septentrionales.

La formation de la légende

Vers la fin du IIIe millénaire avant Jésus-Christ, sous le règne de Sargon, de brefs épisodes indépendants évoquent les exploits de Gilgamesh. Dans la première moitié du millénaire suivant, ces récits sont regroupés et enrichis par un auteur dont on ignore tout. Des fragments mutilés de cette première version nous sont parvenus. Il semble qu'elle ait connu une large diffusion puisque les fragments en question se retrouvent aussi bien en Asie Mineure qu'en Palestine.

Vers la fin du IIe millénaire ou au début du Ier, est rédigée la version dite « classique » ou « ninivite » de l'épopée. Attribuée à un certain Sinleqe'unenni, elle devait représenter entre deux mille cinq cents et trois mille vers, répartis sur onze tablettes d'argile. Si l'auteur a suivi, dans ses grandes lignes, la version ancienne, il a aussi apporté des expansions de son cru. Il est possible, par exemple, que le récit du Déluge soit l'une de ces expansions. L'assyriologue Jean Bottéro estime qu'il a « dilué » la légende, affadissant l'expression plus concise et percutante des versions antérieures.

La découverte de la version ninivite

La version ninivite, qui sert de modèle à toutes les reconstitutions de la légende, a été découverte dans le palais du roi Assurbanipal, à Ninive. C'est l'archéologue britannique Austen Henry Layard qui, en 1849, exhuma les premières tablettes de ce qui allait se révéler, par la suite, la plus importante découverte de textes cunéiformes jamais réalisée. Assurbanipal, souverain assyrien, avait en effet réuni une bibliothèque de plus de cinq mille ouvrages, qui contenait des documents administratifs (archives, textes de lois, lettres d'affaires), des textes religieux (hymnes et prières), une grande quantité de traités relatifs aux sciences et à la magie, mais aussi – et surtout – quelques textes littéraires de grande valeur.

Plusieurs expéditions d'archéologues anglais furent dépêchées sur les lieux pour mesurer l'étendue de la découverte, mais c'est à un jeune assistant du British Museum, John Smith, que reviendra l'honneur de reconstituer et de décoder la légende.

La communication qu'il fit de ses découvertes aux membres de la Société d'archéologie biblique, le 3 décembre 1872, souleva une vive émotion : n'avait-il pas déniché, dans les onze tablettes qu'il s'était acharné à traduire, un récit du Déluge dont les ressemblances avec le récit biblique se révélaient plus que troublantes ? Priver la Bible du privilège de l'antériorité, voilà qui pouvait faire frémir les vénérables membres de la Société d'archéologie biblique. Ces derniers mirent effectivement tout en œuvre pour réfuter le jeune archéologue. L'histoire de l'archéologie devait néanmoins donner raison à John Smith et prouver que l'auteur, Sinleqe'unenni, avait vécu au XIe siècle avant Jésus-Christ – soit des siècles avant que la Bible ne fût écrite – et que la légende de Gilgamesh elle-même lui était bien antérieure.

La construction de l'épopée

Dès le IIe millénaire avant Jésus-Christ, la légende semble développer les deux axes majeurs que nous connaissons aujourd'hui : une première partie qui met l'accent sur l'amitié entre Gilgamesh et Enkidu, ainsi que sur les exploits accomplis par le tandem héroïque, puis une seconde partie dans laquelle le héros, scandalisé par la mort de son ami, part en quête de la vie sans fin.

On notera qu'après le bref exposé d'un état initial paradoxal à nos yeux d'Occidentaux – Gilgamesh, dont la narration se plaît à souligner la nature divine, se comporte en tyran –, le récit se concentre sur l'éducation d'Enkidu qui, progressivement, passe du stade animal au stade humain. Le mythe assigne, au sein de ce processus, un rôle fondamental à la courtisane, motif qui n'est pas sans rappeler le rôle joué par l'Ève biblique dans l'apprentissage de la connaissance. C'est ainsi, d'une certaine manière, la femme et l'amour qui font accéder l'homme à la civilisation. Il est d'ailleurs signifiant de constater que le premier acte d'humanité d'Enkidu consiste à priver Gilgamesh du droit coutumier d'enlever une jeune mariée à son époux.

Le couple héroïque formé, la narration conduit alors Gilgamesh à affronter le démon des forêts, Humbaba. L'écrivain et professeur Robert Harrison montre que cet épisode, dans lequel les héros défient la sauvagerie des espaces forestiers, est, lui aussi, un acte fondateur de la civilisation, estimant avec raison que la culture se construit contre la forêt.

La mort d'Enkidu constitue ensuite le tournant du

récit : est-elle le châtiment de l'hybris manifesté par le couple héroïque ? Il est certain que les deux amis, en tuant Humbaba, ont défié un dieu (Enlil). De plus, repoussant sans ménagement la déesse Ishtar qui venait lui offrir le mariage, Gilgamesh commet une offense d'autant plus impardonnable que la cité d'Uruk est consacrée à cette même déesse.

Commence alors la seconde partie de notre cycle : Gilgamesh erre dans le désert, ressuscitant d'une certaine manière l'ami disparu, puisqu'il revit l'existence menée par Enkidu au début du récit. Son errance le conduit aux confins du monde connu : il atteint en effet les Monts jumeaux, la porte par laquelle le soleil fait son entrée quotidienne dans le ciel. De même, il semble toucher aux confins de l'histoire, puisqu'il est amené à rencontrer Utanapishtim, survivant du Déluge et, de ce fait, seul témoin susceptible de rendre compte des temps antédiluviens. Si le vieil homme donne à Gilgamesh les moyens de se procurer une plante qui confère la faculté de rajeunir, la disparition de cette plante de jouvence, emportée par un serpent, semble marquer l'échec du héros dans sa quête de l'immortalité. Cependant, son retour à Uruk signifie qu'il n'en est rien : les derniers vers nous le montrent faisant contempler avec fierté sa cité au passeur Urshanabi. Du roi arrogant et destructeur qu'il était, Gilgamesh est devenu un homme sage qui accepte sa condition de mortel et sa fonction de guide. À ce titre, il entre dans une forme d'éternité qui n'est sans doute pas celle qu'il espérait, mais qui lui permet d'être pleinement homme.

L'épopée de Gilgamesh est un récit écrit en langage symbolique : Jung y fait allusion dans nombre de ses essais, et l'on devine, derrière la trame de la légende, un cheminement initiatique dans lequel se retrouvent les grands archétypes jungiens. La reconnaissance de l'Ombre (animalité, mal) est signifiée dans l'épisode Enkidu, la difficulté d'admettre le principe féminin (l'anima) se traduit dans les épisodes du rejet d'Ishtar, puis dans la confrontation avec la tavernière (Siduri), confondue, dans certaines versions, avec Ishtar. La rencontre avec Utanapishtim et le cheminement qui en résulte manifestent l'intégration d'un autre archétype (le soi, la totalité) et l'accession à une forme de sagesse supérieure.

Il est touchant de constater que, au début de la période historique, l'humanité se trouve confrontée aux mêmes questionnements qu'à notre époque (la mort est-elle une fin ? la vie a-t-elle un sens ?) et qu'elle y apporte des réponses que notre évolution à travers les âges n'a guère permis de dépasser. La légende de Gilgamesh demeure, à ce titre, terriblement actuelle.

La douzième tablette

Quelqu'un, écrit Jean Bottéro en préface à *L'Épopée de Gilgamesh, le grand homme qui ne voulait pas mourir,* est intervenu pour compléter le travail de Sinleqe'unenni et l'a fait, à ses yeux, de façon maladroite. Il est certain que l'épisode vient détruire la cohérence formée par les onze premières tablettes. En effet, il ressuscite Enkidu pour le faire descendre aux Enfers à la recherche de deux talismans perdus par son ami. Les erreurs qu'il commet dans cette quête le condamnent à y demeurer. Si l'épisode s'intègre mal au récit achevé qu'on connaît, il présente néanmoins l'intérêt de nous renseigner sur les croyances des anciens Mésopotamiens et préfigure une autre descente aux Enfers célèbre : celle d'Ulysse dans le chant XI de l'*Odyssée*. Il se peut que la parenté entre les deux histoires soit accidentelle, elle n'en demeure pas moins fascinante puisque, contrairement à bien des récits de descentes aux Enfers, elles contiennent un motif commun : le héros n'effectue pas lui-même le voyage, mais réussit, par son intercession auprès des dieux, à faire surgir les mânes de défunts qui lui décrivent le monde souterrain.

La descente d'Ishtar aux Enfers

Cette histoire très ancienne – il en existe une version sumérienne dans laquelle Ishtar reçoit son nom sumérien d'Inanna – fait aussi partie des documents retrouvés dans la bibliothèque d'Assurbanipal. Elle n'est en rien liée à celle de Gilgamesh. Mais elle permettra au lecteur de saisir une autre facette de la déesse, singulièrement malmenée dans *Le Récit de Gilgamesh*. Elle fournit, par ailleurs, un écho intéressant à l'épisode d'Enkidu aux Enfers développé dans la douzième tablette.

La descente d'Ishtar aux Enfers et la douzième tablette des aventures de Gilgamesh nous donnent une idée de la façon dont les anciens Mésopotamiens considéraient l'« après-vie ». Le pays d'où « nul ne revient » est une immense caverne, le « Ki », sorte de pendant inférieur à la sphère céleste. Pour les Mésopotamiens, qui constatent la possibilité de revoir les défunts dans les rêves, par exemple, l'homme subsiste après sa mort sous la forme d'une ombre condamnée à hanter éternellement la sphère du « Ki ».

Au cœur de ce monde ténébreux, se trouve érigé le palais d'Ereshkigal, à la fois magnifique et triste, comme tout ce qui appartient aux Enfers. Certaines traditions mythologiques attribuent à Ereshkigal un époux, Nergal, qui n'apparaît pas dans la descente d'Ishtar aux Enfers.

Le rituel que doit subir la déesse, se délestant, de porte en porte, de tous ses attributs, est celui qui attend tout être humain. Réduit à l'état d'ombre, il se voit signifier, à l'entrée du royaume, les lois du pays. Il n'y a pas, dans les Enfers mésopotamiens, de supplice ou de jugement. Les Annunaki (les juges des Enfers) ont pour fonction d'aider Ereshkigal à gouverner un pays dans lequel les ombres poursuivent une vie assez semblable à celle qu'elles ont menée jusqu'alors. Mais il s'agit d'une vie sans joie : les défunts sont d'ailleurs réputés envier les vivants. La douzième tablette nous renseigne sur la nécessité des rites d'inhumation : mourir sans sépulture, c'est se voir interdire l'entrée des Enfers et subsister à l'état de fantôme. Se faire incinérer (coutume inconnue des peuples mésopotamiens), c'est être voué à la disparition pure et simple.

Malmenée dans *Le Récit de Gilgamesh*, Ishtar se voit, d'une certaine manière, réhabilitée dans cette descente aux Enfers. Déesse de l'Amour et du Désir, elle est, par nature, fantasque ; elle se met donc en tête d'aller visiter le monde d'« en bas », monde lugubre, ténébreux et poussiéreux, sur lequel règne sa sœur Ereshkigal. Sa lubie condamne les vivants à la stérilité, et il faut l'intervention du bienveillant Éa pour que le monde reprenne son cours ordinaire. On ne peut s'empêcher d'associer l'épisode à certains mythes gréco-latins, en particulier celui de Déméter et Perséphone. Comme dans l'histoire de Perséphone, la présence d'Ishtar sur terre semble indispensable à la vie, et son absence signifie clairement la fin de toute procréation et, par conséquence, de toute vie. Ishtar n'est donc pas seulement la dévoreuse d'hommes que répudie Gilgamesh, elle est aussi le principe qui permet à la vie de se perpétuer.

INDEX

Adad : dieu des Orages et de la Pluie, il gouverne les écluses du ciel et joue donc un rôle essentiel dans le déchaînement du Déluge. Avec Shamash, il est considéré comme le guide des entreprises de divination. Affrontant, dans certaines légendes, la mer et les monstres marins, il représente l'ordre s'affirmant contre les forces du chaos.

Annunaki : terme générique qui, à l'origine, désignait les dieux les plus importants du panthéon, vivant dans le voisinage d'Anu. Dans la légende d'Ishtar, le mot renvoie aux sept juges des Enfers qui supervisent l'application des lois du monde d'en bas.

Anu : dieu des hautes sphères célestes (le mot « an » signifie « ciel » en sumérien) ; marié à la terre, Ki, il est le père d'un certain nombre de divinités infernales, mais aussi de Sin et d'Ishtar. Avec Éa et Enlil, il est considéré comme le créateur de l'univers. Les trois dieux constituent une trinité souveraine dont les décisions sont indiscutables. L'astronomie mésopotamienne lui attribue un « chemin » qui correspond aux régions les plus élevées du ciel.

Anzu : rapace mythique, serviteur d'Enlil.

ARURU : autre nom de la déesse Mah.

ÉA : dieu des Eaux souterraines purificatrices, il incarne la sagesse ; il est aussi le dieu des Arts et des Techniques. Toujours favorable aux hommes, il est l'une des rares divinités protectrices, les dieux étant généralement considérés comme funestes. Son rôle dans l'épisode du Déluge est, à ce titre, emblématique, puisque c'est son action qui sauve l'humanité. En tant que souverain des mondes souterrains, Éa forme avec Anu (qui a pour domaine les hautes sphères célestes) et Enlil, maître des vents et de l'atmosphère, une triade qui se partage la voûte céleste. Il existe, dans l'astronomie mésopotamienne, un « chemin d'Éa » qui occupe une position méridionale dans le ciel.

ENLIL : fils aîné du dieu Anu, il est le dieu des Vents et de l'Atmosphère, et l'époux de Ninlil, qu'il a d'abord abusée. Pour ce crime, l'assemblée des dieux l'a condamné à descendre aux Enfers. Il confère aux rois des cités la légitimité de leur pouvoir. Enlil est un dieu impétueux, son rôle déterminant dans le déclenchement du Déluge et son intransigeance en font une divinité particulièrement redoutée. Son chemin dans le ciel est une bande médiane qui occupe le nord de l'équateur céleste.

ENNUGI : fils d'Enlil et dieu de l'Irrigation.

ERESHKIGAL : sœur d'Ishtar, épouse de Nergal et souveraine des Enfers, dont l'accès est protégé par sept portes jalousement gardées par le portier Nedu.

D'autres traditions font d'elle l'épouse du Taureau céleste, Gugalana. Elle demeure au centre des Enfers, dans un palais de lapis-lazuli. Elle est assistée du vizir Namtar, de la greffière Gestinana et des sept juges infernaux, les Annunaki.

ÉTANA : nom du troisième souverain ayant régné sur Uruk après le Déluge. Une légende rapporte qu'il fut emmené aux cieux par un aigle.

GESTINANA : greffière d'Ereshkigal aux Enfers.

HUMBABA : ogre gardien de la Forêt des cèdres ; ses parents sont des éléments naturels, gouffres et cavernes des montagnes. Il a été élevé par le dieu Shamash, et Adad l'a ensuite chargé de protéger les forêts du Liban, le dotant des sept fulgurances, armes dont il est difficile de se faire une représentation exacte : rayons, armures dont la vision serait fatale ? Humbaba est une figure divine dont le meurtre exige un châtiment : la mort d'Enkidu.

IRNINI : nom générique désignant certaines divinités féminines, dont Ishtar.

ISHTAR : l'une des figures les plus populaires du panthéon babylonien ; associée à la planète Vénus, elle est la déesse de la Féminité et de l'Amour. Elle gouverne le monde animal et devient la déesse redoutée de la Guerre. Diverses légendes lui attribuent de nombreux amants qui connaissent une fin tragique, ce que Gilgamesh lui rappelle insolemment lorsqu'elle cherche à le séduire. Ishtar est l'héroïne d'une autre épopée, la *Descente d'Ishtar aux Enfers*, dans laquelle elle rend visite à sa sœur, Ereshkigal, et se trouve retenue contre son gré au royaume des ombres. Il lui faut alors toute sa pugnacité légendaire et l'appui du bienveillant Éa pour en ressortir.

LUGALBANDA : le père de Gilgamesh est également le héros de plusieurs récits épiques ; le premier d'entre eux raconte comment il parvint à conquérir Ninsuna, la nymphe protectrice des buffles, pour la ramener dans sa cité. Selon une autre légende, il s'attire la gratitude d'Anzu pour avoir nourri ses petits et obtient en récompense la force et l'endurance.

MAH : la grande déesse antique qui, avec Éa, a présidé à la création de l'humanité. Elle est aussi désignée, dans l'épopée, sous le nom d'Aruru, ou par la périphrase la « Grande Déesse ». Elle est la première à se repentir de la destruction des hommes par le Déluge.

NAMTAR : assistant d'Ereshkigal. Son nom signifie « abrège-destin ». Il remplit la fonction de vizir des Enfers et, comme les Parques de la mythologie latine, coupe le fil de la vie humaine.

NERGAL : fils d'Enlil et époux de la déesse des Enfers Ereshkigal.

NINGAL : femme de Sin et mère d'Ishtar ; surnommée la « Grande Dame », elle est représentée par le disque lunaire.

NINSUNA : déesse mineure, protectrice des buffles sauvages. Vivant dans les montagnes de l'est, elle est découverte par Lugalbanda, qui tombe amoureux d'elle et la ramène en son royaume. Elle confère à son fils, Gilgamesh, sa part divine. Douée du pouvoir d'oniromancie, elle décrypte les rêves et leurs significations prémonitoires.

NINURTA : fils d'Enlil, particulièrement célébré dans la cité de Nippur. Dieu guerrier, il a pour vocation de soutenir les armées sumériennes dans leurs combats. Dans le mythe d'Anzu, il affronte l'aigle monstrueux pour rétablir l'ordre cosmique menacé.

SHAMASH : dieu du Soleil ; fils de Sin et frère d'Ishtar, il dispense lumière et chaleur. Il est également le dieu de la Justice et de la Divination. Sa course quotidienne le conduit des montagnes de l'Orient, lieu magique où les arbres et les fruits sont de pierres précieuses, aux montagnes du couchant. La nuit, il éclaire les mondes souterrains avant de reparaître à l'est.

SIDURI : nymphe et déesse de la Bière et du Vin, elle indique à Gilgamesh où trouver le nocher Urshanabi.

SIN : dieu de la Lune, Sin est le fruit du viol de Ninlil par Enlil. Il conserve des liens privilégiés avec son père, que les sanctuaires consacrés aux deux divinités rappellent lors de célébrations simultanées censées apporter la prospérité agricole. Le croissant lunaire est assimilé à une barque, vaisseau que le dieu emplit de sa présence lors de son majestueux voyage dans le ciel. Sin est l'époux de Ningal qui lui donnera, pour fille, Ishtar.

URSHANABI : nocher (pilote) du bateau d'Utanapishtim.

UTANAPISHTIM : survivant du Déluge auquel les dieux ont accordé la vie éternelle, son nom signifie « vie de jours accrus ». Prévenu par Éa de l'imminence de la catastrophe, il fait construire un vaisseau dans lequel il embarque des spécimens de toutes les espèces vivantes. Son histoire nous fait évidemment penser à celle du Noé des Hébreux, dont il est un probable ancêtre. Comme Noé, Utanapishtim est un sage, et la vie éternelle qui lui est accordée symbolise cette sagesse.

WER : divinité protectrice des forêts.

BIBLIOGRAPHIE

Traductions de l'épopée

– J. BOTTÉRO, *L'Épopée de Gilgamesh, le grand homme qui ne voulait pas mourir*, « L'aube des peuples », Gallimard, 1992. (Traduction de la version ninivite et de quelques textes sumériens, certaines parties manquantes sont reconstituées par déduction.)

– R.-J. TOURNAY & A. SHAFFER, *L'Épopée de Gilgamesh*, « Littératures anciennes du Proche-Orient », Éditions du Cerf, 2007. (Ensemble de traductions des différentes versions de l'épopée. La version ninivite sert de base, les autres versions lui sont juxtaposées.)

– B. FOSTER, *The Epic of Gilgamesh*, Norton & Company, 2001. (L'une des dernières traductions en anglais de l'épopée. L'ensemble des versions sumériennes et une version hittite s'y trouvent traduites.)

Ouvrages de référence sur la Mésopotamie et la civilisation mésopotamienne

– J. BOTTÉRO, *Au commencement étaient les dieux*, « Pluriel », Hachette, 2008. (Recueil d'articles consacrés à divers aspects de la religion et des croyances de l'ancienne Mésopotamie.)

– J. BOTTÉRO, *La Plus Vieille Religion*, « Folio Histoire », Gallimard, 1997. (Ouvrage qui apporte de précieux éclairages sur l'arrière-plan religieux et culturel de la légende.)

– J. BOTTÉRO & M.-J. STÈVE, *Il était une fois la Mésopotamie*, « Découvertes », Gallimard Jeunesse, 1993. (Ouvrage de vulgarisation intéressant, agrémenté d'une riche iconographie.)

– J.-C. GLASSNER, *La Mésopotamie*, Les Belles Lettres, 2002. (Ce livre présente de nombreuses cartes très éclairantes.)

– F. JOANNÈS (dir.), *Dictionnaire de la civilisation mésopotamienne*, « Bouquins », Robert Laffont, 2001. (L'un des ouvrages les plus complets mis à la disposition du grand public. On regrettera juste l'inutile complexité de l'alphabet utilisé.)

– S. N. KRAMER, *L'histoire commence à Sumer*, « Champs Histoire », Flammarion, 2009. (Réédition de l'une des premières études destinées au grand public. Elle contient des traductions de tablettes cunéiformes portant sur différents aspects de la vie quotidienne.)

– G. ROUX, *La Mésopotamie*, « Points Histoire », Seuil, 1995. (Excellent petit ouvrage de synthèse sur l'histoire de la Mésopotamie.)

Sur le mythe de Gilgamesh

– J. BOTTÉRO, *Au commencement étaient les dieux*, « Pluriel », Hachette, 2008. (Commentaires pertinents sur l'épisode du Déluge et la vision que les anciens Mésopotamiens s'étaient construite de l'au-delà.)

– R. HARRISON, *Forêts. Essai sur l'imaginaire occidental*, « Champs », Flammarion, 1992. (Réflexion stimulante, dans le chapitre II, sur l'épisode Humbaba.)

– R. KUNTZMAN, *Le Symbolisme des jumeaux au Proche-Orient ancien*, « Beauchesne religions », Beauchesne, 1983. (Comme le titre l'indique, une réflexion sur la symbolique du double et les difficultés de l'individuation.)

– R. SILVERBERG, *Gilgamesh, roi d'Ourouk*, « Folio SF », Gallimard, 2000. (Une réécriture qui, curieusement, gomme de façon implicite tout le merveilleux du mythe. Intéressante réflexion sur la naissance des légendes.)

Sur le motif d'Ishtar aux Enfers

– G. CONTENAU, *Le Déluge babylonien, Ishtar aux Enfers*, Payot, 1941. (L'ouvrage est daté, mais demeure une référence. Il propose une traduction intégrale de la tablette consacrée aux turpitudes d'Ishtar.)

– H. MCCALL, *Mythes de la Mésopotamie*, « Points Sagesse », Seuil, 1994. (Dans un style simple, l'auteur retrace les grandes lignes des textes mythiques et raconte l'histoire de leur déchiffrement.)

Images intérieures : bas-reliefs relevés par Eugène Flandin (*Monument de Ninive*, Paul-Émile Botta, Paris, 1849-1850).

TABLE